目次

二大政党問題

ウクライナ　民主主義の戦いは必ず勝利する

・ウクライナが勝ち　ロシアに民主主義革命を　ロシアが民主主義国家だったら戦争はなかった
・ドイツ国民はウクライナ支援派だ　武器供与に消極なシュルツ首相の政党が大敗した
・ウクライナ市民の９５％が勝利確信
・我々の世代でカタをつけなくてはならないさ
・ドイツ製主力戦車の猛訓練に励むウクライナ兵
・やがて猛烈な反撃が始まる

中国は台湾侵攻できない　だから　しない

・徐々に強まるＡＳＥＡＮによる中国包囲網
・日米識者の【米中沖縄決戦】徹底シミュレーションのくだらなさ
・自衛隊・米軍は6年前から中国のミサイル対策訓練はやっていた　それを知らない軍事専門家の愚かさ
・台湾の専門家は中国が戦争できるのは２０３５年以降と予測している　日米識者の２０２５年説を完全に崩している
・経済が「悪性スパイラル」に陥没した中国に台湾侵攻はできない
・台湾有事になればＮＡＴＯが支援するのを前務総長が宣言
・台湾有事・田母神論文・日本学術会議に見られる議会制民主主義、三権分立に無知なジャーナリスト

沖縄　沖縄　沖縄

・「米兵が記者に銃口！県民に向けたのと同じ」ではない　アホくさいでっち上げ
・政府も米軍も辺野古移設を急いでいない　辺野古移設反対派は無駄なことをしている
・石垣、与那国、竹富の主張を押し潰すデニー知事
・糸数与那国町長　玉城デニー知事は米国よりも北京に行き、中国に抗議を

連載小説　ゴドーと歩きながら3

アートハイク

二大政党問題

日本が二大政党にならないで自民党が与党であり続ける根本的な問題は旧社会党と共産党が左翼政党であるからだ。左翼政党は保守自民党のように日本国民の生活を豊かにすることはできない。左翼が政権を握って政治を行ったとき、国民は左翼政治に失望し、支持を止めた過去の歴史がある。だから、自民党政権が続いている。左翼は議会制民主主義日本の政治をやる能力がない。左翼政党は与党になれない。左翼政党対自民党の日本では二大政党にならない。

連合・芳野会長が自民党大会に出席へ

２月２６日開催の自民党大会に、連合の芳野友子会長が出席した。

リンカーンの有名な演説に「人民の人民による人民のための政治」がある。これが民主主義の根本だと思う。民主主義政治を実現するのに選挙がある。人民は人民のための政治をする政治家を選挙で選ぶ。注目するべきは人民のほとんどは労働者であることだ。

自民党が与党であることは多くの労働者が自民党を支持し投票したからだ。自民党は労働者のための政治をやっているのである。だから過半数の議席を確保して与党になっているのだ。もし、自民党が労働者を搾取し貧困に追い詰める政治をしたなら労働者の支持を失い、議席は減り与党から転落するだろう。

共産党や旧社会党の左翼が労働者の味方であるというのは嘘である。労働者の味方であったら選挙に勝ち政権を握っているはずである。選挙に負けているということは労働者が支持していないからである。共産党、左翼は労働者の味方ではない。

連合会長が連合参加の労働組合だけではなく日本の労働者のための広い視点に立つなら自民党大会に参加するべきである。

２００１年に現役総理大臣の小泉純一郎氏は連合大会に参加した。連合と自民党の壁を乗り越える行為として画期的であったが、自民党の首相が参加したのは小泉首相だけであった。

連合会長が自民党大会に参加し、自民党の首相が連合大会に参加するということは国民の意思に沿うことである。国民の意思を尊重して連合と自民党のイデオロギーの壁を越えてもらいたい。故翁長知事の名言である「イデオロギーよりアイデンティティー」の関係を築いてほしい。というより日本の政治はそんな時代になってきた。

2月5日

共産党に強烈な爆弾投下「シン・日本共産党宣言」

共産党に強烈な爆弾が投下された。「シン・日本共産党宣言」である。著者は現役の共産党員の松竹伸幸である。松竹氏は党の安保外交部長を務めた人物である。

松竹氏は共産党が党首公選をすることを要求している。

ヒラ党員が党首公選を求め立候補する理由を松竹氏は次のように述べている。

「日本の主要政党で党首公選が行われていないのは、共産党と公明党のみである。約半世紀にわたり、共産党員として活動し、政策委員会で安保外交部長を務めたこともある私が、なぜ、党員による投票が可能な党首公選制を訴え、自ら立候補を宣言するのか？　日本共産党が党首公選を実施すれば日本の政治がマシになるからである」

共産党は100年間党首公選をしていない。党首公選は共産党の禁句である。禁句である党首公選を党員である松竹氏は宣言したのである。それも党内で主張したのではなく、本を出版し外に向かって主張したのである。

マスコミは共産党が党首公選をしないで20年も志位氏が党首であることを指摘したが、志位委員長は公正な選挙で選ばれたと共産党は主張してマスコミの指摘が間近っていると述べた。マスコミはそれ以上深く共産党を追及することはなかった。

今回は共産党内部から党首公選がなかったことを告発したのである。ごまかしようがない告発である。それも本による告発である。共産党幹部は党首公選していないことを認めざるをなくなったのである。

松竹氏は党首公選をしていないことを暴露すると同時に党首公選を要求し自分が首席公選に立候補することを宣言した。

党首公選について共産党員だけでなく共産党支持者も問題にしていくだろう。共産党に強烈な爆弾が投下されたのである。

同著を執筆した背景について、松竹氏は「2つの国政選挙で共産党が後退した」ことへの危機感をあげている。２つの国政選挙の後退を見て、このままでは本当に共産党が取るに足らない勢力になりかねないと深刻に思ったという。後退した共産党を立て直すために松竹氏は、志位委員長のように自衛隊を否定的に考えるのではなく、政策の中にしっかり位置付けることを提案している。松竹氏は共産党内部で提案したが取り入れられなかった過去があった。だから、今度は共産党の内部ではなく外に向かって宣言したのだ。

松竹氏は、

「２つの国政選挙の後退を見て、このままでは本当に共産党が取るに足らない勢力になりかねないと考えた時に、この本を共産党の方たちに読んでもらって、党首公選で安保・自衛隊政策を堂々と議論し合うような党にならないとダメだ”ということを訴えたい」

と述べている。

松竹氏に反論したのは機関紙「しんぶん赤旗」である。赤旗は「党規約に違反する」と述べ、現実的な安全保障政策への転換を求めたことについては、党が掲げる「日米安全保障条約廃棄」「自衛隊解消」に反すると松竹氏の主張を退けた。松竹氏に反論したのは赤旗であり、志位和夫委員長は赤旗に同調する考えを記者団に示しただけであった。

「あの論説に尽きている。赤旗にお任せし、書いていただいた」

志位氏は松竹氏の提案を、

「規約と綱領からの逸脱は明らか」

と断じた赤旗を高く評価しただけで、党首としての具体的な見解は口にせず、「論説に尽きている」と繰り返すだけであった。

赤旗は編集局次長名の記事で、「党の内部問題は、党内で解決するという党の規約を踏み破るものだ」「党首公選制は組織原則である『民主集中制』と相いれない」などと松竹氏を批判した。

松竹氏が「専守防衛」を党の基本政策に位置付けるよう主張していることについて、赤旗は「自衛隊合憲論を党の『基本政策』に位置づけよという要求に他ならない」と反論した。今後、松竹氏は赤旗に反論するだろう。今まで内部で押さえつけられていた松竹氏と赤旗の論争が公の場で展開される。共産党では初めてのことである。強烈な爆弾である。

2月6日

強烈な爆弾を投下した松竹氏を除名

共産党は、党員の直接投票で党首を選ぶ「党首公選制」導入を求めている現役党員でジャーナリスト・編集者、松竹伸幸氏（68）を党規約上最も重い「除名」処分とする調整に入った。

松竹氏が主席公選を要求したのは党首を党員の選挙で選ぶことである。要求した原因は「2つの国政選挙で共産党が後退した」ことへの危機感である。松竹氏は共産党の復活を目指して主席公選を要求したのである。共産党は復活を目指している松竹氏を除名しようとしている。除名の理由は『『党の内部問題は、党内で解決する』という党の規約を踏み破るもの』だからである。主席公選の効果についてはなにも述べていない。

志位委員長は共産党内で公正な手続きで委員長は選ばれると述べ、選挙に匹敵する手続きで党首は決まるイメージを記者に述べてきた。今回の松竹氏の発言で共産党は公選をしないで党首を決めていることが明らかになった。共産党のイメージダウンは避けられない。

共産党支持者は離れ、選挙の時に投票していた無党派も投票しなくなるだろう。

2月7日

維新・松井氏　共産党は「言論の自由奪うおそろしい政党」

共産党は、党内部の「民主的」手続きを経た決定については、「民主集中制」を組織原則としていると説明し、共産党は民主主義であると主張してきた。しかし、共産党内部のことは秘密であり、外部の誰も知らないことであった。マスメディアでさえ調査することができなかった。

外から知ることができない「民主集中制」の実態は本当は民主的でないことを松竹氏が内側から暴露したのである。松竹氏は党首公選によって共産党の民主化を主張した。すると共産党は松竹氏を除名した。共産党の非民主主義が明らかになったのである。他の政党は共産党批判を始めた。

日本維新の会の松井一郎前代表（顧問・大阪市長）は共産党が松竹氏を除名処分にしたことを「（共産は）言論の自由を奪うおそろしい政党だ」と批判した。

松井氏は、松竹氏の主張は支持率低下や議員数減に苦しむ党を憂慮しての発言だったとの見解を示し、「党のために問題提起したのに、除名されるというのは民主主義じゃない。党の体質がみえた」と述べた。国民民主党の玉木代表は「民主主義の政党ではなく全体主義の政党と思われても致し方ない」と語った。

他の政党に「民主主義ではない」「全体主義」と突き放されたのは共産党にとって大きな衝撃である。民主主義は日本政治の根本である。民主主義ではないと言われた共産党は政党としての資格がないと判断されたに等しい。

共産党は立憲民主との共闘を目指しているが、立憲民主は共闘をきっぱりと断るだろう。

共産党は今まで以上に孤立していく。共産党の孤立は止まらない。議会制民主主義を否定している共産党が議会制民主主義国日本で孤立していくのは当然である。

2月10日

共産党が朝日新聞とバトル開始

志位委員長が朝日新聞社説に猛反論した。

朝日新聞は社説「共産党員の除名　国民遠ざける異論封じについて」で

「党勢回復に向け、党首公選を訴えた党員を、なぜ除名しなければいけないのか。異論を排除するつもりはなく、党への「攻撃」が許されないのだと言うが、納得する人がどれほどいよう。かねて指摘される党の閉鎖性を一層印象づけ、幅広い国民からの支持を遠ざけるだけだ」

と述べている。

志位委員長は朝日新聞の社説は「悪意がある」「あまりに不見識だ」「指図されるいわれはない」「断固反撃する」と反発し、「悪意で党を攻撃する者に対しては断固として反撃する」と述べて朝日に反論した。

志位委員長の反論に朝日が黙るはずがない。黙れば志位氏が正しく朝日は間違っていると朝日自身が認めることになるからだ。確実に朝日は反論する。論争は朝日が有利である。除名された松竹氏は「党勢回復」を目標にして提言をしたのである。共産党は党勢回復に頑張っている党員を除名にしたのである。志位委員長と幹部が批判されるのは当然である。

「(松竹氏)除名によって共産党には『独裁』『異論を認めない』といったイメージが強くつきました」と集英社オンラインは指摘している。他のマスメディアも同じ印象だろう。朝日に喧嘩を売ったのは共産党の損である。論争が続けば共産党内部の「独裁」がますます明らかになっていくだけである。

松竹氏も処分は間違っていると主張し、除名取り消しを目指している。共産党の内側を知り尽くしている松竹氏の反乱と維新の会などの政党、マスメディアの攻撃は共産党が初めて体験する崩壊の危機である。

共産党は党首公選を絶対に受け入れない。受け入れれば結党以来守って来た「革命精神」を破棄することになるからだ。それは共産党の内部崩壊になってしまう。「革命精神」を守るために共産党は党首公選は絶対にやらない。

2月11日

今度は田村政策委員長が毎日社説に噛みつく　マスメディアと敵対する共産党

志位委員長は朝日新聞社説に噛みついたが、今度は田村政策委員長が毎日新聞社説に噛みついた。共産党は朝日と毎日に噛みついたのである。

田村氏は、

「毎日社説は、まさに共産党を攪乱し、外から攻撃するという一方の立場にそのまま立って、松竹氏と同じ立場で党に対して『改革せよ』と迫っている。政党の活動の自由、政党が自らどういうルールに基づいて活動をするのか、どういう日本の改革の道筋を持つのかというのは、その政党にとって極めて高い自主性と自立性が守られなければならない。それが憲法における結社の自由の保障だ。毎日新聞にも、憲法上の結社の自由という立場に立ったときに、この社説はあまりにも見識を欠いたものではないのかということは率直に申し上げたい」と毎日を批判したのである。

毎日社説は憲法が保障している共産党の結社の自由を無視しているというのである。憲法に違反していると批判された毎日が黙っているはずはない。表現の自由、結社の自由、そして政党のあり方について共産党への反論が朝日、毎日だけでなく他のマスコミも共産党批判をしていくだろう。

2月12日

「共産党は党是に背く者はだれであれ粛正する」と断じる現代ビジネス

現代ビジネスに御田寺 圭の「異論は『認める』けど『許さない』・・・？ 共産党が唱える『不寛容すぎる謎理論』への強烈な違和感」が掲載された。御田寺氏は朝日や毎日より一歩踏み込んだ共産党批判を展開している。

御田寺氏は「党の決定に反する意見を、勝手に発表しない」などといった規律を設け、党を批判しようと試みる者を処分し、実質的に内部批判ができなくしてしまうルールを設けるのは自由だし、そのようなルールを設ける一方で「われわれは異論を許さない党ではないですよ」と公言するのもまた自由である。共産党が主張しているように憲法が結社の自由、表現の自由を保障しているからだ。共産党の主張は主張として認めた上で御田寺氏は「自由ではあるが、しかしながらそのような態度は現代の時代感覚とはやはりかけ離れたものである」と断じている。

共産党の論理は組織としての内的整合性を取っているが、一党員から向けられた批判を批判ではなく「攻撃」と大仰に表現して被害者ポジションを取りながら封殺し、返す刀で「私たちは異論を認める政党です」と強弁するのは、さすがに欲張りが過ぎると述べ、共産党は堂々と「共産党は党是に背く者はだれであれ粛正する」と胸を張ってもらいたいと痛烈に皮肉っている。

4月17日

共産党は社会主義国家を目指している左翼政党

なぜ日本は二大政党にならないのか。自民党一党だけの政治が続くのか。日本は自民党独裁のよう国家である。日本は独裁国家ではない議会制民主主義国家である。国民の選挙で国会議員は選ばれる。であれば自民党以外の政党が与党になれるはずである。しかし、自民党政権がずっと続いている。国民は自民党を選んでいるということである。でも国民は自民党だから選んでいるのではない。他の政党より自民党の方が自分たちの生活をよくする政治をやると思っているから自民党を選んでいるのである。そのことが分かるのが小泉政権から第二次安倍政権の流れである。

自民党の小泉政権は2001年から2006年の6年間続いた。小泉政権を継いだ安倍政権は2006年から2007年のわずか1年であった。次の福田康夫内閣、麻生太郎内閣も1年しか続かなかった。国民が支持しなかったから1年しか持たなかったのである。国民の支持がない自民党内閣が続いた結果、衆院選挙で民主党が300議席超の圧勝をした。自民党に代わり民主党が与党になったのである。国民は政党名で選ぶのではなく政党の政策で選ぶことが自民党から民主党に代わったことで分かる。

ところが圧勝した民主党であったのに、内閣は次々と変わった。鳩山由紀夫、菅直人、野田佳彦の内閣は短命となり、野田内閣で衆議院選挙が実施され、今度は自民党が勝利した。民主党の政治が国民の生活を豊かにする政治ではないことが分かったので国民は民主党を与党から落とし、自民党を与党にしたのである。

自民党が与党になり、安倍二次内閣が誕生した。自民党、民主党の短期6内閣の始まりが第一次安倍内閣であった。短期内閣になる恐れがあったが安倍二次内閣は6年以上続いた。

第一次安倍内閣から第二次安倍内閣の間で判明したのは国民は政党ではなく政策を優先して政党を選んでいるということである。安倍、福田、麻生内閣の政策に国民は反対したから民主党政権になったのだ。ところが民主党の鳩山、菅、野田内閣の政策に国民は反対したから自民党が与党になったのである。自民党が与党であるのは自民党であるからではない。国民の自民党の政治への支持が他の政党より高いからである。他の政党が与党になれないのは国民が自民党より支持する政治をやらないからである。

旧社会党と共産党は一度も与党になっていない。国民は旧社会党と共産党は国民の生活を豊かにする政党ではないと思っていたからである。

旧社会党は自民党を離脱した保守系の政治家などと組んで与党になったことはある。しかし、社会党単独で与党になったことはない。民主党も旧社会党系と保守系が合流することによって与党になった。過去に左翼政党だけで与党になったことは一度もない。国民は左翼政党が与党になれるほどの支持はしないということだ。

保守と左翼が合体した民主党を国民は与党にした。しかし、民主党の政治に国民は失望した。民主党の政治を見てきた国民は民主党と同じように左翼と保守が合体している立憲民主を与党にすることはないだろう。与党になれない原因は立憲民主内の左翼にある。国民は旧社会党、共産党の左翼を与党にしなかったし、今では左翼と保守の合体政党も与党にしない。

共産党と立憲民主の左翼は国民の支持を下げることをした。共産党は党内の民主化を訴えるベテラン党員が除名した。立憲民主党の左派議員は門外不出の行政文書を手に入れ、８年前のことを問題視して現大臣を辞職させようとしたり、毎週憲法審査会を開くのをサルがやることと非難した。共産党、立憲民主左派のやったことは国民の支持を失う行為である。

共産党と左翼は議会制民主主義日本を発展させる政党ではない。ロシア革命で誕生したソ連のような社会主義国家を目指している政党である。ソ連は崩壊した。崩壊した社会主義が日本で通用することはない。

共産党と立憲民主左翼は日本に必要ない。

維新の会を中心とした保守だけの連合が自民党との二大政党をつくれるだろう。

党首公選を訴えたベテラン党員2人を除名した共産党

共産党は「シン・日本共産党宣言」を出版した松竹伸幸氏と『志位和夫委員長への手紙』（かもがわ出版）を出版した鈴木元氏の二人を除名した。松竹氏は68歳、鈴木氏は78歳である。二人とも若い時から活動してきた古参党員である。共産党は2023年2月5日に松竹氏を除名し、3月16日に鈴木氏を除名した。

松竹氏は全日本学生自治会総連合（全学連）委員長を務めた経験がある。共産党の青年部である民青同盟の役員にもなった。日本共産党国会議員秘書、政策委員、政治・外交委員会副責任者、安保外交部長を歴任した。2001年7月の第19回参議院議員通常選挙に比例区から立候補したが落選した。松竹氏は中央委員会勤務となり、共産党のエリートコースを順当に歩んでいた。しかし、2005年に「自衛隊解消までの過渡的な時期に日本が他国から侵略を受けた場合、自衛隊を活用する」という趣旨の論文を発表したことでエリートコースから外される。松竹氏の『自衛隊活用論』を志位委員長は激しく批判した。松竹さんは“自己批判文”を書かされた。そして翌06年には党中央委員会から“放逐”されたのである。『自衛隊活用論』が志位委員長に嫌われて共産党のエリートコースから放逐された松竹氏である。共産党は反論や批判を一切許さない政党であることを松竹氏は身をもって体験したのである。

松竹氏の『自衛隊活用論』を否定して2006年に中央委員会から排除した志位委員長であるが17年後の2022年には「主権が侵害された時は、違憲との立場をとる自衛隊を「活用する」と松竹氏の理論を採用した。

志位委員長は『自衛隊活用論』で自己批判させたことを松竹氏に謝罪し、自己批判させたことを撤回するべきである。しかし、しない。しないで松竹氏の『自衛隊活用論』だけをあたかも志位委員長の考えであるように発表したのである。トップの権限が非常に強い。それが共産党である。

松竹氏の『自衛隊活用論』は共産党内部で発表されたものであり、党外には発表していない。だから、知っているのは志位委員長などの幹部と中央委員会委員だけである。

「シン・日本共産党宣言」は出版したので松竹氏の主張は党員にも、党員以外の人にも広く知れ渡った。「シン・日本共産党宣言」では党首公選を主張している。松竹氏が党首公選を要求していることを党外の人が知ったのである。党内では処理できない状態になった。

鈴木元氏は１９４４年生まれの７８歳、高校３年生の時に日本共産党に入党した。共産党員として６０年以上の古参である。立命館大学に入学した後は、日本共産党系の青年団体、民主青年同盟（民青）の活動家として新左翼各派の全共闘と対峙し、多くの学生をオルグした。鈴木氏は立命館の共産党組織を「左翼系の牙城」とされた京都大学や同志社大学を抜いて、共産党京都府委員会における最大拠点に成長させた。

当時の学生運動家の間では”大物”として若き日から鳴らしていた。鈴木氏は卒業後、共産党専従職員や母校の立命館大学職員などを務めた。東京の中央委員にはならないで京都府で活動した。

松竹氏が『自衛隊活用論』で志位委員長の批判を浴びて党中央勤務員を退職した際に、京都府にあるかもがわ出版を紹介したのが鈴木氏であった。二人は京都府で活動を続けた。

共産党には中央委員会がある。中央委員は約２００人で共産党の中枢である。共産党の方針は中央委員会で決まり、都道府県の支部は本部の指示に従って活動する。支部からの意見は全て中央委員会で検討し、採用するか否かを決定する。中央委員会の決めたことに都道府県支部は従う。反対することは許されない。中央委員会は東京代々木の本部にある。共産党は徹底した中央集権政党である。

中央委員会の存在が他の政党と共産党の違いである。自民党は派閥がある。派閥は政策に違いがあり、対立し主権争いをする。党内選挙で多数票を獲得した派閥の長が首相になる。立憲民主党は保守系と左翼系が合流した政党である。代表は選挙で選ぶ。他の政党も党首は選挙で選ぶ。選挙で選ばないのが共産党と公明党である。共産党は２２年間志位委員長である。

第２８回党大会で選出された中央委員、准中央委員は次の通り。

幹部会委員長　志位和夫
書記局長　小池晃
常任幹部会（２６人）
幹部会（６４人）

中央委員（１９３人）准中央委員（２８人）
中央委員は政策委員会、人権委員会、ジェンダー平等委員会、国民運動委員会など１２の委員会に属し、給料をもらい専門的な活動をしている。中央委員はプロである。中央委員会が共産党中枢部であり、共産党の綱領をつくり、政治方針を決定する。

松竹氏と鈴木氏は共産党の議席が減り続けている原因に志位委員長が２２年間続けているからだと考えている。他の政党のように党首選挙をすることが共産党の危機を脱する第一歩になると思っている。だから、党首公選を提案したのだ。

共産党が議席を増やすことに強くこだわっている松竹氏は党首公選だけでなく、支持者の拡大も提案している。

他の政党は、はじめから政権獲得を意識した人の集合体であるのに共産党は違うことを指摘する。共産党も他の政党のように政権獲得を目指す政党になるべきだというのが松竹氏の主張である。松竹氏は、「多様な価値観を持つ人々を支持者にしなければならない」支持を得るためには「時として妥協をすることもいとわない」

と主張し、そのモデルとなるのが自民党だという。自民党は考えの違う政治家が派閥をつくって対立しながらも与党になるために集まっている。

自民党は多様な価値観を持っている国民の考えに合わせながら政治をしている。だから、国民の支持率が高く与党になっていると竹松氏は考えている。松竹氏は共産党も与党を目指して自民党のようになるべきであると主張しているのである。

共産党の危機を脱する目的で松竹氏は党首公選を提案し、共産党が左側の自民党になることを主張した。議席を増やすには松竹氏の主張する通りである。しかし、そうしないのが共産党である。共産党が中央委員会を設置しているのは松竹氏の主張を排除し、共産党のイデオロギーを守るためである。違うイデオロギーを徹底して排除するのが共産党だ。左側の自民党になることを中央委員会は絶対に拒否する。

共産党内で党首公選、左の自民党を主張していたなら中央委員会で否定され、松竹氏は反省文を書くように要求されていただろう。2つの国政選挙の後退を見て、このままでは本当に共産党が取るに足らない勢力になりかねないと深刻に考えた松竹氏は共産党員全員に党首公選、左の自民党を訴えたかったのだ。自分の主張は中央委員会で押しつぶされることを知っていた松竹氏は自分の主張を党員に知ってもらうために本を出版したのである。

松竹氏は、

「2つの国政選挙の後退を見て、このままでは本当に共産党が取るに足らない勢力になりかねないと考えた時に、この本を共産党の方たちに読んでもらって、党首公選で安保・自衛隊政策を堂々と議論し合うような党にならないとダメだ”ということを訴えたい」

と述べている。

普通の党員なら松竹氏の主張に賛同する者は多いだろう。しかし、中央委員会の委員は一人も賛同しない。批判するだけである。共産党は党首公選をしないし議席を増やすために左の自民党になることは絶対にない。そのために中央委員会はあるのだ。

共産党は米国を資本主義と呼ぶ。絶対に民主主義とは言わない。自民党に対しても資本主義という。共産党のいう資本主義には深い意味がある。

世の中はブルジョア階級とプロレタリア階級に分かれている。米国は資本家が存在している。ということは米国は資本家が労働者を搾取している国であると共産党は見ている。米国は労働者を搾取している資本主義国家であり、外国を支配している帝国主義国家である。共産党は創立以来ずっとそのように米国を決めつけている。

労働者の搾取についてはマルクスが剰余価値学で解明してある。マルクスの搾取論は多くの専門家が現在も認めている理論である。

ロシア革命を起こしたレーニンは支配者階級が被支配者階級を支配するための組織が国家であると説いた。米国は資本主義国家であり資本家が労働者を搾取している国である。選挙で大統領、国会議員を選ぶ議会制であっても資本家が労働者を搾取している国である。この理論は正しい。企業は利益を出すのを目的にしている。利益は搾取によって生じる。つまり、資本家が労働者を搾取することによって利益が生じるということだ。

資本家が存在する米国や日本は資本主義国家であるのだ。民主主義国家ではないと考えているのが共産党である。共産党が「米国は資本主義」というのは資本家が労働者を搾取している国であるという意味である。日本も米国と同じ資本主義国である。日本も米国と同じように資本家が労働者を搾取している国である。共産党からみれば日本は資本家が労働者を搾取している国家であり、民主主義国家ではない。

岸田首相は新しい資本主義を目標にし、バイデン大統領も支持したという。共産党から見れば自民党の岸田首相は資本家による労働者搾取を高らかに宣言したということだ。共産党にとっては絶対に受け入れることができない岸田首相の新資本主義宣言だ。

ロシア革命を起こしたレーニンは米国の選挙制度を否定した。選挙をすれば労働者を搾取する資本家側の政治家が当選する恐れがある。国政から資本家を排除するためには共産党一党独裁にしなければならない。資本家や共産主義以外の政治家を排除し、共産主義政治家だけにする目的で社会主義国家ソ連は共産党一党独裁国家にしたのである。

共産党はマルクスとレーニンの理論を実行している。社会党は社会党以外の政党と組んで民主党、社会民主党、立県民主党と政党名を変えたが共産党は党名を変えないで共産党を押し通している。マルクス・レーニン主義を貫いているからである。中央委員会はマルクス・レーニン主義を貫くために設立した組織である。

共産党にとって松竹氏、松田氏の党首公選、左の自民党の主張はレーニンが指摘したように資本家が侵入することを許してしまう。共産党にとって絶対に受け入れることはできない。

共産党は松竹氏と松田氏を除名した。二人を除名したことを朝日、毎日の左系を含めてほとんどのマスコミが激しく批判した。

二人を除名した共産党は地方選挙で大きく後退。

４月２１日

崩壊した社会主義にすがりつく共産党に明日は・・・

共産党が目指している国家は労働者人民が直接会社の管理と運営をする社会主義国家である。労働者を搾取し貧困にする資本家を社会から排除して、労働者の自由な社会にするのが共産党の夢である。

共産党から見れば資本家が会社を所有し労働者を搾取している米国や日本は資本主義国家である。国民の選挙で政治家を選んで民主主義のようにしているが、本質は資本家が労働者を搾取している資本主義国家であると共産党は判断している。資本主義国家を倒して社会主義国家にしない限り労働者が搾取されない本当の自由な社会はやってこない。そのように考えている共産党である．創立１００年前から変わらない共産党のイデオロギーである

松竹氏は共産党の議席を増やす目的で左の自民党にするのを提案した。資本主義を否定し社会主義国家を目指している共産党の党員が資本主義にどっぷりの自民党と同じ世界に立つのは絶対に許されないことである。ところが松竹氏は左の自民党を主張したのである。松竹氏は共産党に資本主義国家を認めろと主張したのと同じである。絶対に許されないことである。共産党が松竹氏を除名するのは当然である。

松竹氏は共産党の支持率を上げて議席を増やためにに左自民党を提案した。松竹氏の提案を受け入れなければ共産党の議席は減るだろう。実際地方選挙で激減した。それでも共産党は松竹氏を除名しなければならなかった。

共産党が考えている通りに資本主義の次が社会主義であるならば共産党支持者は増えていただろう。そして、資本主義を打倒できるほどの労働者が共産党に集まっていただろう。しかし、現実は違った。共産党はずっと少数であった。２０００年の党員はたった３８万７０００人である。社会主義革命を起こすには党員が数千万人はいなければならない。資本主義の次が社会主義であるなら数千万人はいるはずである。ところが２０００年は３８万人だったが、２０２０年は２７万人に減っている。結成から１０

０年が経つのにたった２７万人しか党員がいない。社会主義革命を起こすのは不可能である。社会主義革命をめざす資格が共産党にはない。というより資本主義国家の次に社会主義国家になるというのが本当なのかどうかが疑われる。

先に崩壊したのは資本主義国の米国ではなく社会主義国のソ連だった。社会主義国ソ連は１９９１年に崩壊した。米国などの資本主義国との戦争に負けて崩壊したのではない。戦争とは関係なくソ連は自滅したのである。ソ連崩壊は社会主義の崩壊である。ソ連は崩壊して、米国は経済が発展して自由で豊かになっていった。米国と同じ資本主義国の日本も経済は発展し国民の生活は自由で豊かになった。

日本国民は社会主義の旧社会党や共産党を与党にすることはなかった。自民党が与党であり続けた。自民党独裁と思われるほどに国民は自民党を支持し続けた。共産党、旧社会党を与党にしなかったのは結果的に国民の正しい選択であったのだ。

旧社会党や共産党が与党になっていたら、日本はソ連のように経済は行き詰まり、貧困社会になっていただろう。それが分かっていたから国民は社会党、共産党を与党にしなかったのである。

ソ連が崩壊した大きな原因は経済破綻である。社会主義は経済が発展しないで国民を貧困にすることがソ連崩壊で明らかになった。資本家を排し、労働者が中心となる社会であるはずの社会主義国家ソ連が崩壊したのである。

社会主義ソ連が崩壊した原因を追究し、社会主義を目指している共産党や旧社会党が間違っていることを指摘する理論が登場するのが当然と思うが、残念ながらそのような理論は見当たらない。

共産党は米国を資本主義というが、米国は資本主義ではない。資本経済社会ではあるが資本「主義」国家ではない。米国はブルジョア階級がプロレタリア階級を支配している国家だとレーニンは断じた。共産党はレーニンの理論を信じている。レーニンが指摘した通りであるとブルジョア階級が米国の政治を支配していることになる。米国は資本家が国の政治に直接関わることを禁じている。米国は資本主義国家ではない。議会制民主主義国家である。

米国は、国家は国民の選挙で選ばれた政治家が政治を行う。資本家は国家が定めた政治に従い経済社会の市場で活動する。

社会主義のソ連の企業は国営であり、国が管理していた。国が資本を管理していたからソ連の方が資本主義であったともいえる。国が管理したソ連経済は破綻し、国が管理しない米国の市場経済は発展したのが歴史的事実である。

共産党は資本主義と社会主義を比べて社会主義のソ連を選んだ。共産党は米国の政治と経済が別々の世界であることを理解していない。

政治を中心に見れば米国は議会制民主主義国家でありソ連は一党独裁国家である。議会制と独裁の違いも問題にするべきであるが共産党はしない。経済からみる米国は自由な市場経済であり、ソ連は国が管理する国営経済であった。米国とソ連の政治と経済の違いを正確に理解しないで社会主義革命をめざして結成した共産党である。

松竹氏は党首公選と左の自民党を目指しているが左である限り少しは議員が増えたとしても共産党は少数のままであるだろう。自民党と対峙して二大政党をつくれる政党にはなれない。

労働者の味方であるはずの共産党が労働者の最大組織である日本連合組合とは仲が悪い。連合の組合と共産党系の組合は職場、労働運動の現場で対立し日々競合し、しのぎを削っている状態である。連合の芳野友子会長は共産とは考え方が違い、相いれないと述べている。

志位氏は、維新の会を「自民党よりもより極右的な立場から自公政権を引っ張る補完勢力である。共産党は維新の会とは正面から対決し、打ち破っていくという相手だ。そういうものとして今後も明確な対応をしていきたい」と敵対視している。共産党に敵対視されるということは国民の支持率が上がることが保障されたということだ。

共産党は変われない　退潮は進む

共産党が統一地方選で大きく議席を減らした。共産党の退潮傾向に加えて、共産党の改革を主張した二人のベテラン党員を除名したことが原因で議席を大きく減らした。共産党の退潮が明らかになった統一地方選であった。

「共産党が変われば日本の政治は変わる」と主張する教授が居る。中北浩爾氏（中央大学法学部教授）である。中北教授は「共産党が変われば」と言っているが共産党を知らないから「変われば」と仮定するのである。共産党は変わらない。だから、「変われば」という仮定は成り立たない。共産党の本質を知っていないから「変われば」というのである。それに共産党が中北教授が望むように変わったとしても日本の政治は変わらない。アホな教授である。日本はアホな教授が多すぎる。

「野党が一枚岩になれない限り政権交代は難しい」ことは確かである。

結局、共産党が今のままでは本当の意味での野党共闘は実現が難しい。

日本の政治が政権交代のない自民・公明による永続的な支配構造から抜け出せるかどうかは、共産党の去就にかかっていると言っても過言ではないと指摘し、共産党自体は国会内ではそれほど大きな勢力ではないが、共産党が変わらなければ真の意味での野党共闘が実現せず、現行の選挙制度の下ではほとんど勝負にならないと述べ、共産党が変わり、立民との共闘を実現して与党になれば日本の政治が変わると主張する。野党は立民と共産党だけではない。維新の会、国民民主もある。立民と共産党が共闘したとしても維新と国民との共闘もしなければ野党が自民・公明に勝つのは不可能である。しかし、維新と国民は保守である。左翼の立憲、共産党と共闘することはない。共産党は維新を自民党よりも右翼だととても嫌っている。共産党と維新の共闘は絶対にない。

維新の会を「自民党以上に危険な政党」と主張する共産党は議席減　維新の会は議席増

地方選で維新の会は大きく議席を延ばしたが共産党は減らした。維新の会ではなく共産党を「危険な政党」であると思う国民が増えたということである。

共産党は統一地方選挙で大敗した。4年前の選挙と比べると、東京区議選挙で13議席減、一般市議選挙で55議席減、町村議選挙で23議席減となり、合計91議席を減らした。

党の議員数を増やすために党首公選を提案した実績のある二人のベテラン党員を除名し、多くのマスコミに批判された共産党である。議席が大幅に減ることは当然である。

4月23日

改正案見送り　左翼学術会議に弱腰の自民党岸田政府

1月16日に学術会議が左翼であることを書いた。学術会議の左翼イデオロギーは徹底的に潰すべきである。そのためにも学術会議の正体を知らなければならない。

学術会議の正体　左翼に歪んでいる学術会議

「安全保障関連法に反対する学者の会」が学術会議法を改定しようとしている政府の方針は「学術会議を政府の意向に追従する組織に改造するもの」だとして反対するおかしな声明文を発表した。

元学術会議会長の広渡清吾・東京大名誉教授は、「民主主義に必要なのは多様性の尊重。ナチスのように社会を同質化させてはいけない。学術会議は戦争を反省し、独立してものをいう研究者の組織が必要だとしてつくられた。学術会議の独立性や自主性を守ることは日本の民主主義の根幹にかかわる」と述べた。

日本は民主主義国家である。民主主義の本質は国民主権にある。学者の多様性の尊重はすでに保証されている。日本では多様性は尊重されナチスのように社会を同質化にはしない。今の日本がナチスのようになることは絶対にない。広瀬前会長は日本の民主主義を理解していないどころか侮辱している。戦後の民主主義の日本では学者の研究の自由、発言の自由は保障されている。

「安全保障関連法に反対する」学者たちが集まって団体を結成できたのは表現の自由を保障しているからだ。表現の自由のないロシア、イラン。アフガンであったら全員逮捕され刑務所に入れられていただろう。広渡元会長は「学術会議は戦争を反省し、独立してものをいう研究者の組織が必要だとしてつくられた」と述べている。でもそれは広渡元会長の意見である。内閣、国会の意見ではない。広渡元会長は学者である。国民に選ばれていない一学者でしかない。そんな広渡元会長が学術会議を定義づけするのは間違っている。広渡元会長の意見は一学者の個人的な意見である。

日本学術会議には年間10億円余りの国の予算が支出されている。学術会議の活動は国民の税金によって賄われている。学術会議には国民のために活動する義務がある。国民の代理が政府である。学術会議は政府の方針に従わなければならない。それが国民主権の議会制民主主義である。

安全保障関連法に反対する学者の会は「学術会議は創設以来、平和と学問の自由を擁護し、軍事研究を否定してきた」と主張している。日本には日米安保があり、自衛隊が存在している。軍事研究を否定したということは日本の軍事を否定したことである。行政の側の学術会議が軍事研究を否定したことは日本の民主主義を否定したことになる。学問の自由も否定している。安保や軍事研究も自由にするのが学問の自由である。学術会議は軍事研究する学者を排除していった。学術会議には学問の自由はない。

岸田政権が昨年12月に閣議決定した安保3.文書の「国家安全保障戦略」で政府と企業、学術界の連携強化を求めたことに対して学者の会は、政府の学術会議の改革の狙いは軍需産業振興のために科学技術を動員し、軍事研究の推進に適合する組織に改造することだと岸田政権を批判した。そのような改革は学術会議の独立性を損なう「学術会議つぶし」だとして、政府に撤回を求めた。

安保3.文書は「国家安全保障を目指したものである。安全保障をより進展させるために岸田政権は政府と企業、学術界の連携の強化を求めたのである。多くの知恵を結集して、安全保障を強化していくのは政府として当然のことである。政府は学術会議に提案を求めたのであり学術会議潰しではない。学術会議潰しに見えるのは「安全保障関連法に反対する」「学者の会」であるからである。安全保障関連法に反対する」は学問の世界ではなく政治イデオロギーの世界である。自分たちのイデオロギーが潰されるのではないかと恐れている。

安全保障関連法を分析し、内容や性質を解明するのは学者の仕事である。しかし、賛成するか反対するかは学問ではなくイデオロギーである。学者の会は学問ではなくイデオロギーに固執しているから反対している。

学術会議の独立性や自主性を守ることが日本の民主主義の根幹ではない。民主主義の根幹は国民主権である。代議制、国会、内閣、司法の三権分立が民主主義体制である。学術会議は政権運営する政府への政策提言、科学の啓発活動を行う機関である。

独立性、自主性を守るのが学術会議であると主張しているのが「安全保障関連法に反対する学者の会」である。安全保障関連法に反対するということは国会で定めた法律に反対するということである。学者の会は国会の法律に反対する政治集団である。学問ではなくイデオロギー集団である。国会の決めたことに反対するのだから学者会議は非民主主義である。

　日本は表現は自由だから国会で決めた法律に反対する学者集団が存在してもいい。しかし、学術会議は違う。学術会議は政府への提言機関である。政府は行政を司る機関である。国会で決めた法律を遵守しなければならないのが政府である。国会が決めた法律に違反する政府であれば司法によって解散させられる。それが三権分立だ。

　学術会議は国会が定めた安全保障関連法に反対することはできない。行政に属する団体であるからだ。政府から独立していても国会が制定した法律からは独立していない。

　学術会議が政府から独立しているとするならば学術会議は行政機関ではない。学術会議は国会、政府の政策に対して自由に主張する機関である。学術会議は政府に対して自由である。政府に束縛されない自由であるということである。

　学術会議の自由は提案の自由である。学術会議は自由にテーマを決めて研究することはできない。政府の行政に限った問題に限られる。だから、学者としての自由は学術会議にはない。そして、国会が定めた法律に反する目的の研究はできない。学術会議は国会が定めた法律からは自由ではない。

　学術会議の意見が政府と違っていてもいい。政府が学術会議の意見を採用するか否かは政府が判断する。政府は学術会議に対して自由である。学術会議は政府から与えられた課題を自由に研究する。研究した結果を自由に政府に提案する。それが学術会議である。

　岸田政権が政府と企業、学術界の連携強化を求めたのは軍需産業振興のために科学技術を動員し、軍事研究の推進に適合する学術会議に改造することだと学者会議は決めつけ、連携強化は学術会議の独立性を損なう「学術会議つぶし」であると批判し、政府に連携強化の撤回を求めた。

　学術会議の自由な提言を封じるなら学術会議潰しである。しかし、政府は学術会議の口封じはしない。自由に発言させる。だから、学術会議潰しはしない。学者会議のいう学術会議潰しとは学術会議に安保3.文書の「国家安全保障戦略」を研究させることである。「国家安全保障戦略」を研究させることは学術会議の独立性や自主性を守ることができない。日本の民主主義の根幹にかかわる問題であるというのである。政府の一機関であるにすぎない学術会議に民主主義の根幹云々というのはおかしい。日本社会から見れば学術会議は政府の一機関の小さな存在である。民主主義の根幹なんて問題にできる団体ではない。むしろ、国民の税金を使っている学術会議が政府の機関としてちゃんと機能しているか否かが国民の問題になる。学術会議と民主主義はかけ離れた問題である。

「安全保障関連法に反対する」イデオロギーの学者会議が学術会議の民主主義を主張するのはおかしい。学者会議は表現の自由によって安全保障関連法に反対して結成した。学者会議内では安全保障関連法に賛成することは許されない。賛成する学者は排除される。表現の自由がない学者会議は民主主義ではない。同じイデオロギーの学者が集まった結社なのだから当然である。

学術会議は戦争を反省し、独立してものをいう研究者の組織が必要だとしてつくられたといっても、民主主義の三権分立のルールを破る権利はない。学術会議は行政の政府に属している。だから、行政法を守らなくてはならない。やりたい放題できる自由は学術会議にはない。それなのにあると主張しているのが学者会議である。

学術会議は民主的に選ばれた学者の集まりではない。学者全員の選挙はなく、学術会議の現会員が次期会員候補者を推薦する仕組みになっている。そのために次第に左翼系の学者が増え、左翼系学者が支配するようになったのが現在の学術会議である。

学術会議は左翼である。岸田首相は左翼学術会議に対して毅然とした態度で対応していない。派閥の争いでは勝って首相になる岸田氏のような自民党政治家の多くは毅然とした態度で対応しない。適当にごまかしながら対応する。だから、学術会議や共産党や立憲民主をのさばらすのだ。左翼が生き延びているのは岸田首相のような自民党政治家が多いからだ。自民党の派閥政治が左翼を延命させている。

共産党と立憲民主党は左翼である。国民の支持で与党になることはない。民主党の時に与党になったが3年で崩壊した。民主党は分裂して保守系の国民民主と左翼系の立憲民主に分かれた。

左翼勢力が強い立憲民主は「小西文書」と「サル発言」で左翼職を露呈し、国民の支持を下げている。立憲民主が支持率を下げる行為を検討していこう。

3月11日

小西文書は立憲民主党の支持率を下げるだけである

立憲民主党は支持率が落ちる路線に出た。小西洋之参議院議員の小西文書と呼ばれている放送法をめぐる内部文書の公開である。小西氏は3月3日の参院予算委で「この文書には当時の安倍首相、高市早苗総務相、礒崎陽輔首相補佐官らのものとされる発言が記載されており、特定の番組名を挙げ問題視するやり取りもある」と追及した。

高市氏は自身の発言として記された4枚の文書の内容が「捏造」であると主張。本当だったら大臣、議員を辞めると答弁した。

小西文書にヒートアップしているのがマスコミである。国民ではない。

小西議員が、テレビに対する報道規制強化のために放送法の解釈変更をしようとした安倍政権時代の官邸と抵抗する総務省側の具体的やりとりなどが記された80ページに及ぶ総務省の内部文書を暴露。その中には、当時の安倍晋三・首相と総務大臣だった高市早苗・現経済安保担当相の電話会談の内容まで書かれており、高市氏は国会で「捏造だ」と反論したが、総務省が文書は本物だと認めたことで、小西文書は第2の森友事件の様相」だとマスメディアは大騒ぎしている。

森友事件で安倍首相が国会で『私や妻が関係していたということになれば、総理大臣も国会議員も辞める』と発言した。このことで財務省が文書改竄に走り、板挟みになった近畿財務局職員の自殺という悲劇を招いた。小西文書も総務省を追い詰めるだろう。「この問題の対応に岸田首相の命運がかかっている」とマスコミは主張している。

森友問題は政治ではない。スキャンダルである。野党は安倍首相を厳しく追い詰めたが、安倍首相は辞任しなかったし、選挙で勝って首相の座を維持した。森友問題に固執して安倍首相を追い詰めようとした野党を国民は支持しなかったのである。

小西文書は森友問題と似ている。過去のことであるし現在の政治と全然関係がないことを問題にしている。高市大臣を個人攻撃している。予算委員会で、現在の政治には全然関係ないネタを利用して小西議員は高市大臣を攻撃しているのである。国民は小西議員のやり方を支持していない。

ネットのツイッターである。

○「ありもしないことを、あったかのように作ることを『捏造』と言うんじゃないか」「正確なものだということを（小西議員が）立証してください」「事実であれば私は責任を取る」と高市大臣は述べた。捏造間違いなしだな。

○8年も前のことを、あたかも真実のように報道するテレビって、どうなんでしょうか…高市大臣を貶めようという意志があるのではないかと、疑ってしまいます。

○党側は78ページ全部で追求しようとしてた。高市さんは4ページ分全部の主張なんだよね。

○テレ朝はこの文書が正しいという前提に立っているような気がします。正確性に疑問のある物を持ち出してきた小西議員にも疑問を呈してもよろしいのではないでしょうか。報道に偏りを感じます。

○モリカケアゲインやりたかったんだろうけど残念でしたね。むしろ総務省の闇と日本の放送法の異常な点が明るみに出てブーメランになってくるんじゃないですかね。

小西議員のようなスキャンダル追及が立憲民主の主流だった。主流の議員であった辻元清美氏をはじめ黒岩宇洋、今井雅人、川内博が衆議員選挙で落選した。最前線で批判ばかりしていた議員は軒並み落選したのである。

辻元清美　社民党から議員生活を始めた辻元氏は「ソーリ！」と答弁者を指名するスタイルで有名になった。昨年2月には、当時の安倍晋三首相に週刊誌報道をベースに質問し、安倍氏が「意味のない質問だよ」とやじを飛ばしたこともあった。

黒岩宇洋　野党による官僚に対する「合同ヒアリング」の中心人物。「桜を見る会」前日に安倍氏の事務所が主催した夕食会をめぐる発信に対し、安倍氏が「真っ赤な嘘」と反論したこともある。

今井雅人　森友学園問題などで政府を追及してきた今井氏は、平成21年の旧民主党を振り出しに毎回政党を変え、いずれも比例復活で4回連続当選してきたが、立民で臨んだ今回は5回目の当選を果たせなかった。

彼らは、テレビ中継入りの予算委員会など、注目度の高い花形の質疑でたびたび起用される野党のエース格だった。政府関係者を厳しく追及する姿はテレビでもよく報じられた。有名な議員であったが落選したのである。国民は支持しなかった。

「スキャンダル追及型」の議員たちと対照的に、スキャンダルには目もくれず、政策論争で政府に挑む「政策論争型」の議員である前原誠司氏、岡田克也氏、玉木雄一郎氏らは全員当選した。

前回の選挙結果ではっきりしたのは、「政策論争型」の議員たちを国民は支持することである。前原氏や玉木氏は2017年衆院選と比べ票数を大きく伸ばした。これに対し、「スキャンダル追及型」の議員たちの多くは票を減らして落選となった。

国民が望む政治家はスキャンダル追及する政治家ではない。国民のための政策を考える政治家である。スキャンダル追及では国民に支持されないことが明確になったのが前の立憲民主党の大敗北、共産党の敗北であった。スキャンダル追及をしないで政治問題を優先した維新の会、国民民主は議席を増やした。立憲民主の中堅には「最前線で批判ばかりしていた人が軒並み落ちた。路線を変えないと、支持は得られない」と反省する議員も居た。

反省をしないでスキャンダル追及を始めたのが小西参議員である。立憲民主がスキャンダル追及に邁進すればマスメディアは賑わうが国民の支持を減らすだけである。スキャンダルを追及している立憲民主は自民党政府を追い詰めているように見えるが逆である。自民党を安定させている。共産党も同じだ。

立憲民主、維新の会、国民民主が連帯して野党連合を結成して自民党より国民に支持される政策をつくらないと自民党を倒して与党になることはできない。小西三文書は野党連合による政党奪還を遥かに遠ざけるものである。

3月12日

立憲民主は小西文書より維新の会との共闘・勉強会が重要

維新の会は立憲民主と国民民主に連携と勉強会を開くことに積極的である。

昨年の臨時国会に引き続き、23日召集の通常国会でも立憲・国民と連携する方針である。維新と立憲は岸田文雄政権が検討する防衛増税に反対し、行財政改革や「身を切る改革」によって財源の対案を示す方向で合意している。国民民主にも呼び掛けている。

野党にとって一番必要なのは共闘である。共闘するためには政策を一致させる必要がある。維新と立憲は行財政改革で政策が一致した。だから共同で法案提出して自民党と政策論争をする。維新は国民民主にも参加を呼び掛けている。国民民主が参加すれば野党三党の共闘が成立する。

維新の会の遠藤敬両国対委員長は、憲法改正や安全保障、エネルギーなど「国の根幹にかかわる問題」に関しても合同勉強会の開催を提案し、立憲民主党の安住淳が受け入れたと述べた。

立憲民主党と日本維新の会は、児童手当の所得制限を撤廃するための法案も共同提出した。3月2日には、ガーシー議員のように正当な理由なく国会に登院しない国会議員への歳費の支払いを制限するための歳費法改正案を共同で参議院に提出した。

原発再稼働をめぐり、両党の方向性に隔たりがあることなどを理由にエネルギー政策の勉強会を中断していたが8日の国対連絡会で、中断していたエネルギー分野の勉強会を再開することで一致した。

国民が政党に求めているのは国民生活を自由、豊かにすることである。国民が望む政治をする政党が与党になる。自民党が与党であるのは他の政党より国民が望む政治をしているからである。大阪では維新の会が与党である。自民党、立憲民主、共産党よりも大阪市民の望む政治を維新の会がしているからである。

国会で野党がバラバラになっているのも自民党が

与党を維持している原因である。野党が連帯し、合同勉強会で自民党より優れた政策を生み出していけば野党共闘が与党になる可能性がある。

小西洋之議員は国会に総務省の行政文書（公文書）所謂『小西文書』を持ち出して、高市大臣に対して大臣辞任と議員辞職を迫った。公文書は公開されない文書である。それを小西議員は入手して公開したのである。入手経路は不明である。小西文書は政策ではない。総務省の裏側を暴露したスキャンダルである。

公文書には安倍首相と高市大臣との電話会話が掲載されているのだ。小西議員は電話会話を問題にしている。高市大臣はそのような電話をしていないと述べ、電話について書いてある4枚の公文書は捏造であると主張している。スキャンダルが好きなマスメディアは8年前の真実の追及で騒ぎ続けている。

高市大臣を辞職に追い込むのを目的にしているのが小西文書である。首相や大臣のスキャンダルを国会で追及するのに専念するのが立憲民主の左翼系である。

小西洋之議員は官僚出身の左翼系である。門外不出の公文書を小西議員が手に入れたのは関係の深い官僚が居たからだと言われている。

左翼系は維新の会のように政策を追求するのではなく首相、大臣のスキャンダルを取り上げて非難し、追い詰めるのに固執する。だがこのようなスキャンダル追及で国民の支持を得ることはできない。前の衆議院選ではっきりしたことである。立憲民主はスキャンダル追及を止めて維新の会と連帯していくべきである。

衆議院選で自民党は１５議席減　立憲民主１３議席減であったのに維新の会は３０議席増だった。維新の会は保守の自民党と左翼系の立憲民主の議席を奪ったのである。維新の会は保守、左翼に強い政党である。

大阪で維新の会が政権を握ることができたのは自民党、共産党、立憲民主より政策が優れていて大阪府民が支持したからである。衆議院での大躍進は偶然ではない。

立憲民主・国民民主が維新の会と連携し維新の政策を理解し合意するようになれば三党の議席は大幅に増え、与党になれる可能性が増す。

残念ながら左翼勢力の強い立憲民主は維新との共闘ではなく対立の方向に進んでいる。

3月13日

立憲民主党左翼の定番　スキャンダル攻撃　小西文書

小西洋之議員は国会に総務省の行政文書（公文書）所謂『小西文書』を持ち出して、高市大臣に対して大臣辞任と議員辞職を迫った。もし、小西文書に書かれていることが全て正しく、高市大臣が辞職に追いやられた場合、自民党の支持率は下がり立憲民主党の支持率が上がるか。

・・・・自民党の支持率が下がることはないし立憲民主の支持率が上がることもない。前衆議院選挙の結果を参考にすれば支持率は下がる。

小西文書は8年前の総務省の一部の行政文書　の問題である。現在の政治には関係がない。国民からみれば8年前の政治家や官僚の密談を問題にするより現在の政治を問題にしてほしい。小西文書をしつこく国会で審議する立憲民主を国民は支持しない。小西文書が正しくても立憲民主の支持は下がることはあっても上がることはない。

小西文書が正しくても支持率は上がらないのに小西文書の内容は正しさに問題があることが明らかになってきた。

小西議員が問題にしたのは放送法の政治的公平の解釈を政府は従来、「放送事業者の番組全体」で政治的公平を判断するとしていたのに時の安倍晋三首相が一つの番組でも政治的公平に抵触するという「解釈の補充」に意欲を示したことである。立憲民主党の安住淳国対委員長は放送法の政治的公平性を巡り、安倍政権が解釈見直しを求めたとする総務省の内部文書に関し、「（強権的な）ロシアのプーチン大統領や中国の習近平国家主席とどこが違うのか」と批判した。

安住氏の発言ですぐに頭に浮かんだのは、政府がテレビなどの放送に公平ではないとクレームしたことは一度もなかったことである。ということは公平性について解釈変更はなかったのか。なかったとしたら小西文書は嘘なのかと思うが、そうではないようである。嘘ではないことが高市早苗総務相答弁で分かる。

高市早苗総務相の答弁

１５年5月１２日　参院総務委員会

政府のこれまでの解釈の補充的な説明として申し上げますが、一つの番組のみでも国論を二分するような政治課題について、放送事業者が一方の政治的見解を取り上げず、ことさらに他の政治的見解のみを取り上げて、それを支持する内容を相当の時間にわたり繰り返す番組を放送した場合のように、当該放送事業者の番組編集が不偏不党の立場から明らかに逸脱していると認められる場合といった極端な場合においては、一般論として政治的に公平であることを確保しているとは認められないものと考えます」

１６年2月8日、衆院予算委員会

「そこまで極端な、電波の停止にいたるような対応を放送局がされるとも考えておりませんけど、まったく将来にわたってそれがありえないとは断言できません。電波の停止は、私のときにするとは思いませんけれども、将来にわたってよっぽど極端な例、何度行政のほうから要請をしても、まったく順守しないという場合に、その可能性がまったくないとは言えません」

高市総務相は放送が政治的に公平か否かの基準を説明し、公平ではない場合は放送局にクレームし、それでも公平を遵守しない時は停止させると答弁している。小西文書で問題にしていることを高市氏は国会ではっきり説明している。

１５年以後は政治的公平に抵触するか否かの判断は全体ではなく一部でも適用したのである。8年間、一度も政府が放送局にクレームしたことはない。政府は8年間のテレビ・ラジオ放送は公平であったと判断したことになる。もし、プーチンや習近平であったらクレームどころか弾圧、排除をしていたはずである。

安倍政権はプーチンや習近平政権とは違い客観的な公平を守った政権であったということだ。

小西文書は高市大臣を追い詰め、岸田政権の支持率を下げるために仕掛けたはずだが、逆に小西文書への批判が強くなっている。小西文書は立憲民主の支持率を下げるだけである。立憲民主は小西文書を早く終わらせ、維新の会との連帯を強化していくべきだ。維新主導で。

小西文書で分かる・・・立憲民主は万年野党の道を歩んでいる

指摘した通り小西文書は立憲民主の墓穴を掘り、支持率を下げるものでしかなかった。ＹｏｕＴｕｂｅやツイッターなどで小西文書への批判がかなり拡大した。

批判の拡大に小西議員は苛ついたようである。小西議員は自分への鋭い批判を誹謗中傷と決めつけて、顧問弁護士と相談しＹｏｕＴｕｂｅ等やその拡散コメントに法的措置を取るとツイッターで発表した。自分への批判を「再生回数を稼ぐための悪質な違法行為という訴えも検討します」と、自身への批判を違法行為だと決めつけている。小西議員のショックは大きいようだ。身から出た錆である。

高市大臣攻撃に利用している行政文書は外に出してはならないものである。小西文書は違法な行為で入手した行政文書なのである。小西氏は国会議員だから逮捕されていないのであって一般人なら犯罪者として逮捕されている。

違法行為をして手に入れた行政文書を利用して高市大臣を攻撃しているのが西田議員なのである。そんな西田議員がネットで自分への批判を違法行為だから訴訟するというのである。呆れてしまう。

すぐにネットでは小西議員への反論が広がった。

小西議員は「これまで私の名誉毀損の訴えは全て勝訴しています」と豪語しているが、裁判で小西議員が敗北するのは間違いない。小西文書で高市大臣を追い込むことができなかったあせりが批判者を訴訟するという言動になったのだ。

そもそも8年も前の行政文書を根拠にして高市大臣を追い込むことはできるはずがない。追い込んだとしても現在の政治には関係のないことである。スキャンダルが好きな国民は関心を持つだろうが、岸田政権にはなんの影響もない。むしろ、8年前のスキャンダルに固執する立憲民主に反発するだろう。実際、岸田政権の支持率は上がっている。立憲民主の支持率は下がっている。当然のことである。

立憲民主と共産党は万年野党の道を歩み続けている。

3月16日

立憲民主の小西文書VS自民政権の政労使会議　国民の支持は自民

立憲民主は国会審議で放送法の「政治的公平」に関する総務省文書を利用して、高市早苗経済安全保障担当相を追い詰めるのに集中している。マスメディアは小西議員支持と高市大臣支持に分かれて賑わっている。小西文書問題で立憲民主とマスメディアが盛り上がっている最中に岸田政権は8年ぶりに政労使会議を開催した。

政労使会議は8年前に安倍首相が初めて開催した。政府、労働界、経営界の三者が同じ席に着き会議をする歴史上初めてのことであった。岸田政権は歴史的な会議を再び開催したのだ。政府から加藤勝信厚生労働相らが出席。労働界からは連合の芳野友子会長ら、経済界からは経団連の十倉雅和会長や日本商工会議所の小林健会頭らが参加した。

岸田首相は「賃上げは新しい資本主義の最重要課題だ。政府としても政策を総動員して、環境整備に取り組む」と表明した。

立憲民主が問題にしているのは8年前の安倍首相の関係する公文書である。岸田首相が開催した会議も同じ8年前の安倍首相が関係した会議である。

国民は、公文書による高市大臣攻撃をする立憲民主を支持するか政労使会議を開催した岸田首相を支持するか。国民が支持するのは決まっている。岸田首相である。

立憲民主は総がかりで高市大臣を追い詰めて辞職に追い込もうとしている。立憲民主の国会審議での勝利は高市大臣を辞職させることである。負けるということは高市大臣が辞職しないことである。立憲民主が国会審議で勝とうが負けようが放送界への影響はないし、国民生活にも全然関係ない。8年前のスキャンダルに固執している立憲民主に国民はそっぽを向けるだろう。

岸田首相が政労使会議を大企業の満額回答が続いている状況に合わせて開いたのにはある狙いがある。

岸田首相は労働者の賃上げを政策に掲げている。岸田首相が掲げる「構造的な賃上げの実現」には日本の雇用の7割を占める中小企業の労使交渉がカギを握る。満額回答が相次ぐ大手企業の集中回答日に開催することで、賃上げに向けた社会全体の機運を高めるという狙いがあるからこの時期に政労使会議を開催したのである。岸田首相は労働者の賃上げを政策目標にしている。その目的があるから政労使会議を開催した。

自民党は連合や友好的な労働組合との連携を強化する方針を９０回目の党大会ではっきりと書き込んだ。

官邸側から要請して岸田首相は首相官邸で芳野連合代表と会った。その時に芳野氏は政労使会議開催を要請した。それを岸田首相は実現したのである。自民党は連合への接近を進めている。

立憲民主の小西文書と岸田首相の政労使会議では連合は政労使会議を支持するだろう。立憲民主は連合、労働者が支持する政策を真剣に考えるべきだ。

参議院・憲法審査会の野党筆頭幹事である小西議員は「小西文書」につづいて、衆議院の憲法審査会を毎週開催することは「サルがやることだ」「蛮族の行為で野蛮だ」などと発言した。

憲法改正に反対である立民であるが小西氏の発言はひどい。維新の会は小西議員の発言で立民との共闘を凍結した。

「サル」発言の立民左派との対立で維新の妥協はない

維新は小西氏の正式な謝罪を求め、応じるまで共闘を凍結すると宣言した。

維新の馬場伸幸代表は衆院憲法審幹事会で「本当に申し訳ない気持ちがあるのか。むしろ『ない』と判断している」と断じ、衆院の幹事会での小西氏の謝罪と説明を立民に要求した。馬場代表は「信頼関係は完全に損なわれた。問題が解決しない限り、協調は当面凍結する」と表明した。維新は小西議員を筆頭幹事更迭しただけでは甘すぎる。誠意が足りないと思っている。小西議員を参院憲法審委員を辞めさせない限り維新は納得しないだろう。

憲法改正は自民党より維新の会が熱心である。早期の憲法改正を目指し、憲法審の毎週開催をけん引してきた自負が維新にはある。「サル」発言は自民党だけでなく維新にも向けられていると受け止めている。

立憲民主は保守系の泉氏が代表である。しかし、左翼が強い。だから、泉代表は左派である小西議員に厳しい対応ができない。「(岡田克也)幹事長のところで党の規約に基づいて考えている」と述べ、明言を避けた。泉代表は代表としての指導力が弱い。立憲民主で小西議員を厳しく処分することはできないだろう。

維新の会は徹底して闘う。維新が納得する処分をしない限り立民との協調凍結は続くだろう。「サル」発言は維新の会と立憲左派の闘いになった。維新の会が妥協することはない。

維新の会の前の党名は維新の党であった。ゆいの党との合併を進めていたが政治路線で対立した。政治路線を重視する橋下知事を中心とする大阪の政治家たちは維新の党を脱退して大阪維新の会を設立した。維新の会の再出発であった。たとえ少数になっても政治姿勢を貫くのが維新の会である。

「サル」発言は立憲民主の支持票を下げると同時に左派の勢力を弱体化させるだけである。

4月29日

入管法改正案に自民・公民に維新・国民が賛成で可決　立憲民主・共産党の孤立

入管法改正案が衆議院法務委員会で自公だけでなく維新、国民も賛成して可決した。今までなら与党の事項が賛成、野党が反対して、マスコミは与党による強引な法案成立などと記事にしていたが、今回は違った。野党である維新と国民が賛成したのである。マスコミは「与党による強引な法案成立」とは書けなくなった。

自民、公明、維新、国民は保守政党である立憲、共産党は左翼である。今回は保守政党と左翼政党に分かれた政治判断が下されたということである。与党対野党という構図ではなく保守対左翼の構図がはっきりと表れたのが入管法改正案の可決である。だからといって維新、国民が自民党と合流したのではない。維新、国民は野党であり自民党と連携する与党になったのではない。

入管法改正案可決の過程で立憲民主内には保守系と左翼系が対立していることが分かった。

外国人の収容・送還ルールを見直す入管難民法改正案を巡り、自民、公明、立憲民主、日本維新の会の4党の実務者が協議した。立憲民主の実務者寺田氏らの主張した難民認定を判断する「第三者機関」の設置を検討するということを付則に記すという修正案を提示した。交渉した実務者は修正案に賛成であった。しかし、立民が法案対応を決めるために開いた会合では、出席者から「不十分だ」「支援団体に顔向けできない」など入管法改正案に反対する意見が続出した。

立憲執行部は、改正案を蹴って反対する方針を正式に決定した。立憲が改正案に反対したので寺田氏が確保した立憲要求の修正案は消されてしまった。立憲の提案が消された改正法案が可決したのである。寺田氏たち実務者の努力は立憲執行部によって破棄されたようなものである。

「普段、顔も出さない議員ばかりが来て、的外れな反対論をまくしたてた。政治家なら一歩でも前に進めることを選ぶべきじゃないか」。会合に出席した議員は憤った。

反対論者の多くは旧社会党系だったとして「この党は活動家に乗っ取られている」と嘆いた。

立民内は寺田氏のように保守派のグループと旧社会党系の左翼グループに分かれている。多数派が左翼である。「小西文書」「サル発言」の小西洋之参議員は左翼である。立憲は左翼の勢力が強いので立憲の方針は共産党と同じ反自民となってしまう。野党は立憲、共産党が主導してきたが。維新の会が議席を増やしたことで野党は保守対左翼になり、左翼の勢力は半減した。

野党が保守と左翼が対立していること、そして、保守が勝利することが起きた。ＧＸ推進法案の成立である。

ＧＸ推進法案は脱炭素社会に向けた投資を促進するための新法である。立民は当初、連合の意向も受け、条件付きで賛成する方向で調整していた。衆院経済産業委員会の現場では与党との修正協議が整いつつあった。ところが立民党執行部は「原発の新増設につながりかねない」などとして反対を決めたのである。反原発の支持層の意向をくんだ左翼が反対したのだ。最終的に衆院では維新主導の修正案が可決された。

法案は参院審議で国民民主党が奔走し、維新を巻き込んで連合が目指す修正を実現した。修正案が参院本会議で可決、衆院に差し戻される異例の展開となった。国民民主関係者は「うちが頑張ったのに、立民は『顔をつぶされた』と難癖をつけてきた。むちゃくちゃだ」と明かした。

立民の主導権を握っている左翼は連合の目指した修正案を反故にしたのである。連合の要求を聞き入れない立民左翼は連合の支持が薄れていくだろう。立民の保守と国民への支持が強くなっていくのは確実である。

連合会長は自民党大会に出席し、岸田首相は連合大会に出席した。連合の保守化は進んでいる。

4月26日

維新の会によって自民党対左翼の構図を変える時代がやってきた

日本の政治は自民党と旧社会党、共産党の対立が基本であった。立憲民主党は自民党を離党した政治家と旧社会党の政治家の混合政党である。自民党、旧社会党、共産党の体制は同じである。三党と性質が違うのが維新の会である。

自民党は戦後の議会制民主主義制度で、とにもかくにも与党になり政権を握るのを目的にしてきた政党である。自民党単独で与党になれない時は左翼の社会党と組むこともあった。現在は宗教政党の公明党と組んでいる。とにもかくにも与党になることが自民党の目的である。自民党の政権が続いたのは国民の支持率が低い左翼政党対自民党の構図であったからである。この構図が続く限り自民党政権は安泰である。

自民党を脅かす政党が登場した。維新の会である。維新の会は既成政党とは違う新しいタイプの政党である。他の政党は最初から全国的である。しかし、維新の会は大阪だけであった。もっと詳しくいうと、維新の会という政党も最初はなかった。橋下徹氏が一人で始めた政治改革が維新の会の始まりであった。橋下氏は政治家ではなかった。弁護士であり、行列のできる法律相談所というテレビ番組に出演しているタレント弁護士だった。彼の人気に注目した大阪自民党が橋下氏を大阪府知事選に担ぎ出した。

橋下氏の前の太田房江知事は自民党・民主党・公明党など5党の推薦を受けた保守と左翼の相乗りであった。だから、5党が反対しない政治を行った。ところが橋下氏は違った。5党の政党がやらなかった政治をやった。それが教育改革である。

橋下知事は大坂の学力が全国で二番目に低いことを問題にした。非公開であった全国学力テストの成績を公開した。そして、学力アップを目指した教育改革を始めたのである。橋下知事の教育改革に真っ向から反対したのが大阪の教職団体であり、共産党、民主党であった。

大阪の学力が低いことを知った時、大阪の教職員の政治力が強いと予想した。低い理由を知っていたからだ。沖縄は学力テストが全国で最下位である。それは復帰前からである。沖縄の学力が低いのはウチナー口を使っているからだろうと思っていた。私たちは家でウチナーグチしか使っていなかったし、小学校で共通語を習った。中学を卒業するまで共通語を話せない生徒もいた。沖縄の学力が低いのはウチナーグチのせいだと思っていた。その考えが間違っていることを学習塾をすることによって知った。沖縄の学力が低いのは教職員の政治力が強く、政治活動を優先しているのが原因であることを知ったのである。沖縄は教師たちによる学力向上の研究を全然していないことを学習塾をやりながら知った。若い教育熱心な教員が落ちこぼれ生徒を教えるために居残りをさせると他の教師から居残り生徒を優遇している、教育差別だとクレームがついた。居残り授業をさせなかったのだ。もし、居残り授業が効果を上げ、そのことが父母の噂になり、居残り授業しなければならなくなることを嫌った教員がクレームをし、居残り授業を阻止したのである。教育熱心な教員が阻害されていた。ベテランの先輩が若い教員を指導するシステムもなかった。素人の教員が授業をしているようなものであった。

算数の落ちこぼれの原因は一度教えたことは100%マスターしているとの前提で次に進むからだ。

掛け算九九は小学2年生に習う。しかし、生徒には成長に差があるし、学習する能力にも差がある。掛け算九九を完全には覚えきれていない生徒も居る。ところが3年生になると掛け算九九は完全にマスターしているという前庭で二桁の掛け算や割り算を教える。掛け算九九がちゃんとできない生徒は間違いが多くなる。掛け算割り算が下手な原因は掛け算九九を完全にこなせていないから。沖縄の教員は掛け算九九を徹底しては教えない。痛切に感じたのは沖縄の教員の無責任さだった。

大阪の学力が二番目に低いことを知った時、大阪の教職員の政治力が強いことを予想した。

2000年　産経新聞朝刊「校長権限はく奪　ステージに上げぬ卒業式」

大阪府豊中市の多くの市立学校には、「常識はずれ」(元校長)の慣習が数年前まであった。

卒・入学式や各学期の始・終業式には、午前中で勤務を終え、午後からは“自宅研修”という名目で教員が学校を離れる。“自宅研修”という制度はなく、研修にも本来は校長の承認が必要だが、その手続きもとられない。通常の勤務日でも、“自宅研修”というだけで早帰りが許されていた時代もあった。

残業があれば“回復措置”として後日、早帰りを要求する。回復措置が公式に認められているのは、修学旅行や体育祭などの学校行事が休日にあったときなどに限られているが、無断“自宅研修”とあわせて、まかり通ってきた。

豊中市教職員組合(豊中教組)による激しい主任制反対闘争の影響で、それぞれの学校現場から校長の権限がはく奪されていったことが、大きな要因だという。ある元校長は「中間管理職ともいえる主任制は、職場に差別と分断を持ち込むというのが組合の主張。『民主的な学校運営』を実現するとして、学校構造の単層化を目指した組合の力に抗しきれず、校長の力がなくなっていった」と話す。

「学校構造の単層化」とは、校長ら管理職も教員も子供たちも「平等」という論理だ。

今年三月。全四十一小学校のうち十四校、十八中学校のうち十一校で、ステージを使わず、管理職、教員、児童・生徒、保護者ら参加者全員がフロアに並んで式次第を進める「対面式」とも「フロア形式」とも呼ばれる形の卒業式が行われた。

「フロア形式は『子供が主役(主人公)』という名目のもとで行われているが、その陰に、校長権限を認めず、校長を『ステージに上げたくない』『高いところに立たせたくない』という組合員らの主張がある。卒業式では国旗・国歌だけでなく、こうした実施形式をめぐっても校内で議論される」と、ある教員。

「卒業証書授与式」という名称をめぐっても、『目上の者』（校長）が『下の者』（子供たち）に与えているという意味だ」として、「授与」という言葉の削除を要求する教員らもいる。

また、昨年度は四小学校、中学校は全十八校の通知表に校長印欄がなかった（本年度は小学校二校）が、これも「校長の印鑑は不要」という教員らの主張によるという。

産経新聞

校長の権限を奪う思想は社会主義思想があるからだ。いわゆる校長は支配者であり、労働者の教員の権利を奪う存在であるから校長に支配されないために教員が校長の権利を奪う。それが社会主義でいう労働者の生産手段の自己管理になるのだ。それが共産党の目指す社会主義社会である。大阪教職員は教育の場で社会主義革命を目指したのである。教職員の社会主義革命は生徒の学力を全国最低2位にした。

橋下知事の時も教職員の政治力は非常に強かった。教職員は橋下知事の教育改革に真っ向から反対した。討論集会では素人の知事が教育に口出しするな、教育は専門家の教職員に任せろと橋下知事を攻撃した。橋下知事は教職員の攻撃にひるまず学力向上計画を進めていった。橋下知事は、教育正常化のために教員に奪われていた校長の権限を取り戻していった。

橋下知事は勉強時間を増やすために夏休みを短縮した。暑い夏に勉強するには教室を涼しくする必要があるといって全教室にクーラー設置を計画した。

教育改革をどんどん推進していく橋下知事に教職員、共産党、民主党だけでなくマスコミも圧力をかけた。

『週刊朝日』（2012年）で「ハシシタ　奴の本性」（佐野眞一＋本誌取材班＝今西憲之、村岡正浩）の記事で、橋下氏が部落出身であることを書いた。「橋下」は本当は「ハシシタ」と読むと指摘し、橋下知事を部落出身であると侮蔑するものであった。

橋下知事の政治改革に同調したのが自民党の政調会長であった松井一郎氏である。橋下氏が知事になっときにはすでに暫定予算が組まれていた。しかし、橋下知事はそれを止めて橋下知事独自の新予算を出した。橋下知事ならガタガタだった大阪の財政を本気で立て直せるんじゃないかと感じた松井一郎氏は自民党を離党して橋下知事と維新の会を結成したのである。橋下氏一人で始めた政治改革に松井氏たち自民党の一部が賛同して結成したのが維新の会である。政治にド素人のタレント弁護士が府知事になり、一人で政治改革を始めた。そして、彼に賛同した保守政治家と一緒に政治団体を結成した。過去に維新の会のような政党はない。

大阪教職員、共産党、民主党が築き上げた教育界の牙城を維新の会は教育改革政策で崩壊させた。自民党にそんなことはできない。維新の会は自民党ができないことをやったのである。

共産党が維新の会を自民党以上の右翼であると批判するのは大阪で維新の会に共産党系の教職員の牙城が崩されたからである。

大阪地方選で共産党は、すべての議席を失うのではというほどの危機に陥った。懸命に闘ったが大阪府議会は1議席、大阪市議会は2議席となり、ともに選挙前から議席を半減させた。共産党にとって維新の会は自民党以上に強敵である。

学術会議の主張にかなり妥協した政府案だったが、学術会議は「会員人事への介入で独立性が損なわれる」と徹底抗戦した。結果、岸田首相は改正案の今国会への提出を見送った。学術会議には政府から10億円の予算が出る。予算が出るということは学術会議が政府の公的機関ということだ。公的機関には自由はない。それなのに岸田首相は独立を主張する学術会議の圧力に屈して国会への提出を見送ったのである。木原誠二官房副長官は「なかなか（学術会議の）理解が得られないので、今回は取り下げる」と言った。岸田首相は学術会議と裏交渉をして学術会議と妥協点を見つけるつもりである。政治交渉を優先させるのが自民党である。維新の会は違う。法治主義を優先させる。

遠藤敬国対委員長は「取り下げは極めて残念。税金を投じている公的な機関である以上、見直しをすべきだ」と語った。維新の会は学術会議が公的機関であることを重視し、学術会議の主張する独立性を容認しない。そういう毅然とした姿勢が自民党にはない維新の会の特徴である。

社会主義は破綻する運命であることをソ連崩壊ではっきりした　それを解明した専門家がいない日本

地方選で維新の会が目標をはるかに上回る774議席を獲得し、衆議院補選でも野党で唯一維新の会が当選した。維新の会の予想以上の勝利にマスコミは評価を一変させた。維新は大阪の地方政党であるという判断から全国的な政党になったとマスコミはいうようになった。世論調査では維新が立憲民主党より支持率が上がった。次の衆議院選では維新の会が野党第一党になるだろうというマスコミが増えた。

最新の世論調査では、野党第一党の立憲民主党は、政党支持率が下落傾向にあり、日本維新の会に逆転されるケースが目立っている。

○一般的に見れば、立憲のアシストオウンゴールである。・サル蛮族発言・うな丼発言追及などのしょうもない事で株を下げた。

○「危機感も緊張感もない政党に日本の政治を担わせてよいのか」と、日本国民の多くがそう考えた結果が、今の立憲の支持率だ。

○立憲は危機感、緊張感ない。進歩がない。期待しない。救いようがない。

共産党と立民への批判が多くなった。しかし、両党が左翼であることを指摘して批判するマスコミはない。

立民が大勢を立て直し、第一党を守るという専門家もいる。そして、野党が結束して二大政党になるという専門家もいる。

二大政党になれない原因は立憲内の左翼と共産党にある。戦後75年間二大政党にならなかったのは旧社会党や共産党が左翼政党であったからである。そのことを指摘するマスコミはいない。専門家もいないようだ。

左翼の原点は社会主義である。社会主義国家はロシア革命で誕生した。ロシア革命でレーニンは米国のような資本家が自由である議会制民主主義を否定し、資本家を排除した社会主義国家を樹立した。社会主義は労働者が解放された社会であると信じた人たちが戦前に共産党を結成した。戦後はソ連や北朝鮮が理想の国家であると信じた連中が社会党を結成した。

社会主義とは「生産手段の社会的共有・管理によって平等な社会」である。資本を資本家ではなく労働者が所有し管理するのが社会主義である。労働者は資本家に搾取されないで働いた分だけ収入がある。労働者にとって理想であるのが社会主義である。理論ではそうである。

共産主義をわかりやすくいうと、資本や財産をみんなで共有する平等な社会体制のこと。土地や財産などはすべて国のものとなり、みんなで共有する。生産されたものもみんなのものとなり、均等に分配するというのが共産主義である。

社会主義とは生産手段の社会的共有・管理によって平等な社会を実現しようとする思想・運動。マルクス主義では、資本主義から共産主義へと続く第一段階として社会が社会主義体制である。社会主義社会では各人が能力に応じて働き、働きに応じて分配を受ける。１９１７年のロシア革命により、１９２２年に世界初の社会主義国家としてソビエト社会主義共和国連邦が成立した。

社会主義は、共産主義を実現するための前段階という考え方であり、共産主義は社会主義思想の理想形である。共産党が最終的に実現したいのが共産社会である。その前段階の社会主義であるが、現在は社会主義に前段階の民主主義社会を目指している。

資本主義とは生産手段を資本として私有する民間の資本家が、自己の労働力以外に売るものを持たない労働者から労働力を商品として買い、それを上回る価値を持つ商品を生産して利潤を得る経済構造である。資本主義社会は資本家が労働者を搾取して莫大な利益を得る社会である。

社会主義と資本主義の違いとは

社会主義と資本主義のもっとも大きな違いは、個人が資本を持てるかどうかという点である。社会主義では資本は国のものであり、個人が持つことはできない。しかし資本主義では個人が資本を持つことができる。社会主義では平等な社会になる。資本主義社会ではお金持ちはさらに富を増やし、そうでない貧しい人も生まれ格差が広がる。

労働者なら資本家に搾取されない社会主義を選ぶ。資本主義と社会主義の違いを認識している政治家が共産党、立憲民主の左翼である。彼らは労働者を資本家から解放することを最終目的に政治活動をしている。しかし、社会主義国家ソ連は１９９１年に崩壊した。崩壊したということは社会主義には決定的な欠点があったということである。崩壊から３０年以上も経つから崩壊した原因は解明されていると思ったが、意外にも解明されていない。おかしい。

社会主義は、なまける人が増えて経済がなかなか発展しにくいという欠点があると専門家は述べている。それが原因で超大国ソ連が崩壊したというのだろうか。確かにソ連の崩壊は経済破綻である。しかし、なまける人が増えたせいであるというのはあり得ない。社会主義は独裁政権であり、権力がとても強い。怠け者を許すような国家ではなかった。なまける労働者が増えて崩壊したとは考えられない。

社会主義の説明で非常に重要なことが抜けている。社会主義では生産手段が社会的共有・管理によって資本家が居なくなったと説明しているが資本家は本当はいなくなっていない。存在していた。民間の資本家はいなくなったが別の存在が資本家になっていた。政治家と官僚である。彼らが利益を享受していた。社会主義国家は共産党一党独裁である。共産党が資本を所有し、経営する。利益は共産党が収奪する仕組みがソ連の社会主義であった。

資本主義は民間の資本家が売り上げ拡大に集中して経営する。社会主義は政治家が政治と経営を兼業する。だから、ソ連の経済は次第に下降し、１９９１年にはどうしようもないほどに経済は悪化し、ソ連は崩壊したのである。

資本主義の説明でも重要なことが抜けている。資本主義では民間が資本を所有する一方、政治は資本家が行わない。政治を行うのは国民が選出した政治家が行う。社会主義は政治と経営を共産党が行うが、資本主義では政治と経営が分業化している。政治と経済が分業になっているのが資本主義である。

米国、日本などの資本主義国を正確に言うなら政治は議会制民主主義、経済は資本主義である。資本家とは株主である。社長などの重役や役員は資本家ではなく仕事をして給料をもらう労働者である。

資本主義は民間が自由に経営し、激しい経営競争をしたから経済が発展した。ソ連は政治家が経営したから悪化した。ソ連と同じ社会主義である中国は人民解放軍が権力を握っていた時に資本主義を導入し、民間の資本家が自由に経営したから経済が世界第二位になるほどに経済成長したのである。

同じ社会主義国でありながら経済崩壊したソ連と経済発展した中国の経済政策を比べて見れば経済は資本主義にするべきであることが理解できる。ところがネットを見る限り、その事実を認め、解明した学者、専門家が見当たらない。社会主義は経済崩壊する必然性を解明していないから共産党、立憲左翼は社会主義を目指している。

安倍首相がゼロ金利にして円の価値を落とすことによって輸出を増やし、日本経済を復活させたとき、志位共産党委員長は「貧富の差が広がった」と批判したのである。経済復興は貧富の差の拡大にしか見えないのが共産党である。

社会主義のソ連は米国やイギリスなどの資本主義国より後にできた国である。資本主義より新しい国である。だから、共産党は社会主義は資本主義より新しい国であると信じている。そして、資本主義の次に社会主義になると信じている。ソ連は１６１３年から続いてきた封建国家のロマノフ朝を１９１７年に倒して一党独裁国家を樹立したのであって資本主義を倒したのではない。日本でいえば江戸幕府を倒した明治政府とソ連は同じである。

１９９１年にソ連が崩壊すると東ドイツ、ポーランド、ハンガリー、バルト三国などは社会主義から議会制民主主義の資本主義国家になった。社会主義から資本主義なった国はあるが、資本主義から社会主義になった国はない。共産党は資本主義から社会主義になると信じている。それは共産党の幻想である。

政治は議会制民主主義であり経済は自由市場の資本主義であるのが日本である。そんな日本に政治と経済を支配する一党独裁の社会主義はやってこない。

ウクライナ民主主義の戦いは勝利する

ウクライナが勝ちロシアに民主主義革命を　ロシアが民主主義国家だったら戦争はなかった

なぜウクライナ戦争が起こったのか。原因はロシア軍がウクライナに侵攻したから。なぜ、ロシア軍は侵攻したのか。プーチン大統領が命じたから。なぜプーチン大統領は侵攻を命じたか。で、プーチン大統領がウクライナ侵攻を命じた理由を専門家たちは色々と説明する。専門家たちの説明にそれほど関心はない。彼らは理由をそれぞれ述べるがウクライナ戦争の根本的なことについては説明しない。説明しないというよりできない。知らないから。

プーチン大統領が支配するロシアは独裁国家である。独裁国家のロシアが民主主義国家であるウクライナをロシアの支配下に置くのを狙ってロシア軍を侵攻させたのである。もし、ロシアが独裁国家ではなく議会制民主主義国家であったらウクライナに侵攻することはなかった。民主主義国家は他国を支配して搾取することはしない。
ロシアが独裁国家である限りウクライナへの侵略は繰り返すだろう。ロシアの侵略をなくすにはロシアが議会制民主主義国家になる以外にはない。ロシアを民主主義国家にするにはウクライナが戦争に勝つ以外にはない。

タチアナさんは最近までこの公園付近に子どもを連れてきていた二児の母親である。志願兵になり対戦車ミサイルを運ぶ任務に就いている。先日、タチアナさんはロシア軍の戦車を一台破壊した。『私が守っているのはキエフやウクライナ、ヨーロッパだけでなく、民主主義です』

民主主義はウクライナ国民に深く浸透している。だから戦いに強い。ウクライナ国民の民主主義はロシア国民も理解する。ウクライナがプーチン独裁に勝ち、ウクライナ国民の民主主義をロシア国民が理解し、プーチンは失脚し、ロシアは民主主義国家になる。

ウクライナの民主主義を破壊し、搾取する目的でロシア軍は侵攻したのである。ところがロシアと親密である鈴木議員は「ゼレンスキーが大統領になってからミンスク合意、停戦合意を履行しなかったことが今日の事態を招いている。3年前から誠意を持って話し合いをすればロシアが動くことはなかった」

とウクライナのせいにしている。そんな鈴木氏がロシアに行こうとしたのである。

プーチン独裁とウクライナの民主主義の違いを知らない鈴木議員である。鈴木議員のブログを見た時に鈴木議員を維新の会から除名しろと主張した。鈴木氏がロシアに行くなら維新の会は絶対に除名するべきである。行くことを認めれば維新の会が独裁者プーチンを認めることになる。許されないことである。

2月13日

ドイツ国民はウクライナ支援派だ
武器供与に消極なシュルツ首相の政党が大敗した

ロシアの侵攻を受けるウクライナへの支援を巡り、シュルツ首相は武器供与に対して消極的だった。ショルツ首相にドイツ国民はＮＯを宣言した。

ドイツ・ベルリン特別市（州と同格）で１２日にやり直し議会選が実施され、市選挙管理委員会の暫定結果によると、ショルツ首相の中道左派、社会民主党（ＳＰＤ）が大敗した。ウクライナ支援に積極的な基督教民主同盟（ＣＤＵ）が２０年以上ぶりに第1党となったのである。

ドイツ国民は選挙でウクライナ支援に賛成であること示したのである。

シュルツ首相は選挙の結果に押されて、ウクライナへの武器支援をもっと積極的になるだろう。

ウクライナは勝つ。

ウクライナ市民の９５％が勝利確信

ウクライナ市民の世論調査

○ウクライナの勝利を確信　９５％
○ゼレンスキー（大統領の支持率　９０％
○侵攻で大切な人を亡くした　１７％
○侵攻で家族が離れ離れになっている　２１％
○欧州連合(ＥＵ)加盟賛成　８７％
○北大西洋条約機構ＮＡＴＯ　加盟賛成８６％
○ロシアとの友好関係の回復不可能、５８％

　ロシア軍のミサイル攻撃で住宅は破壊され電気、水道も使えず凍り付く冬にぎりぎりの生活を強いられてもウクライナ市民の心は折れない。ウクライナの勝利を確信してどん底の生活をたくましく生きている。勝利を確信して。

　ウクライナが勝つと確信したのは「自由と民主主義」のために戦うと多くの市民が宣言して銃を握ったことだった。ウクライナが勝ち　ロシアに民主主義革命を　ロシアが民主主義国家だったら戦争はなかった

　なぜウクライナ戦争が起こったのか。原因はロシア軍がウクライナに侵攻したから。なぜ、ロシア軍は侵攻したのか。プーチン大統領が命じたから。なぜプーチン大統領は侵攻を命じたか。で、プーチン大統領がウクライナ侵攻を命じた理由を専門家たちは色々と説明する。専門家たちの説明にそれほど関心はない。彼らは理由をそれぞれ述べるがウクライナ戦争の根本的なことについては説明しない。説明しないというよりできない。知らないから。

　プーチン大統領が支配するロシアは独裁国家である。独裁国家のロシアが民主主義国家であるウクライナをロシアの支配下に置くのを狙ってロシア軍を侵攻させたのである。もし、ロシアが独裁国家ではなく議会制民主主義国家であったらウクライナに侵攻することはなかった。民主主義国家は他国を支配して搾取することはしない。

　ロシアが独裁国家である限りウクライナへの侵略は繰り返すだろう。ロシアの侵略をなくすにはロシアが議会制民主主義国家なる以外にはない。ロシアを民主主義国家にするにはウクライナが戦争に勝つ以外にはない。

　二児の母親であるタチアナさんは志願兵になり対戦車ミサイルを運ぶ任務に就いた。先日、タチアナさんはロシア軍の戦車を一台破壊した。タチアナさんは『私が守っているのはキエフやウクライナ、ヨーロッパだけでなく、民主主義です』と志願兵になった理由を述べた。

　ロシア軍が橋を渡るのを防ぐため自爆して橋を破壊した兵士も居た。「自由な民主主義の国」になるためには死をかけて戦うウクライナ市民である。

４年前にユーチューブでウクライナの５歳の少女ベロニカがゴット　タレントで歌うのを見た。ベロニカの父親は戦争に行って家にはいない。少女は戦争のない平和な生活を望んでいる。ベロニカの歌には彼女の心が込められていた。

ベロニカの望みはウクライナ国民の望みである。ウクライナ国民が望んでいるのは真の自由であり平和な民主主義である。それを実現するには完全勝利以外にはない。中途半端な処理、停戦をウクライナ国民は望んでいない。

２月１５日

我々の世代でカタをつけなくてはならない

キーウ在住のジャーナリスト・古川英治氏による最新報告「怒りと裏切りのウクライナ」を一部転載します。（月刊「文藝春秋」2023年3月号より）

５０代の女性医師は夫とともに「郷土防衛隊」に参じている。首都の空港の防衛や近郊の町の攻防に加わり、いまも東部の前線に立っている。彼女がキーウに一時帰還した時に取材すると、こう語った。

「ウクライナが勝つと私は楽観視しているが、それまで私が生き残るかは分からない。私たちの多くは死ぬことになるだろう。最悪なのは中途半端に戦を止めることだ。歴史を見れば、ロシアは常にウクライナを侵略し、市民を殺している。我々の世代でカタをつけなくてはならない」

ウクライナの強さは国民一人一人が自由、民主主義思想が強いことだ。ウクライナの自由、民主主義のためなら死を厭わない。

ウラジーミル・プーチン大塗料が真冬に停電を引き起こすことでウクライナ人の戦意をくじこうとしたが、うまくはいっていない。市民から聞かれるのは、

「自由の見返りだと思えば、たいしたことはない」

容赦ない無差別攻撃、占領地域での残虐行為、食糧やエネルギー供給への打撃まで、プーチンがウク

ライナ人を痛めつけようとすればするほど、侵略者に抵抗する士気は高まる。

最新の世論調査によれば、ウクライナの勝利を信じる国民は95%に達した。2014年からロシアが不法占拠するクリミア半島を含むすべての領土を解放するまで戦いを続けるべきだと大多数が答える。「我々の世代でカタをつけなくてはならない」決意で。

2月17日

ドイツ製主力戦車の猛訓練に励むウクライナ兵　やがて猛烈な反撃が始まる

ウクライナ兵はポーランドでドイツ製主力戦車「レオパルト2」の猛特訓を受けている。

ウクライナ東部で戦う部隊の将兵が参加するこの集中訓練は、欧州連合のウクライナに対する軍事支援の一環で、ポーランド軍によると、特訓は週末を含めて1日10時間にも及ぶという。

ポーランドは隣国ウクライナを最も積極的に支援、欧州各国が所有するレオパルト1とレオパルト2を供与するよう働きかけていた。

その結果、ドイツは178両のレオパルト1と、14両のレオパルト2をウクライナに送ることを決定。ポーランドも14両のレオパルト2を供与することになった。

ポーランドはさらに、ソ連時代のT-72戦車や、近代化したPT戦車など300台以上の提供を約束した。

3月には訓練を終えたウクライナ兵が戦争に参加する。ウクライナ軍は勝利に向かって進むだろう。

「ウクライナが勝つと私は楽観視しているが、それまで私が生き残るかは分からない。我々の世代でカタをつけなくてはならない」

50代の女性医師が言った通りにウクライナの勝利でカタがつくのは確実だ。

中国は台湾侵攻できない　だから しない

中国が台湾侵攻するか否かを検討するには軍事だけではなく、政治と経済も参考にするべきである。ロシアがウクライナ侵略すると、米国やＮＡＴＯだけでなく多くの民主主義国が軍事経済支援し、ロシアには経済制裁をした。中国が台湾侵攻をすればウクライナと同じように民主主義国が台湾支援をする。日米豪印英は中国軍と戦うだろう。そして、日米、ＮＡＴＯは経済制裁をする。中国はたちまち経済危機に陥る。そのことを中国は知っている。だから、台湾侵攻できない。しない。

中国が日本人へのビザ発給再開・・・

台湾、日本有事はない

台湾有事が起こるという予測が多い中で台湾有事は絶対にないと私は主張した。台湾有事は絶対に起こらないという確信があったからだ。根拠の一つが経済である。中国経済が発展してきたのは外国企業のお陰である。日本の企業も中国経済に大きく貢献している。中国が台湾に侵攻すれば日本との国交は断絶する。すると中国経済に大きく影響する。経済を維持するために中国は台湾侵攻をしない。

私の判断が正しいことが起こった。中国政府は今月10日から日本から中国へ渡航する日本人へのビザの発給を停止していた。日本政府が中国からの入国者に対してPCR検査することへの対抗措置だ。しかし、停止からわずか3週間たらずで解除した。原因は中国に進出している日本企業の社員が入国できないために中国の日本企業の経営が悪化するからである。日本企業の悪化は中国経済の悪化になる。経済悪化を防ぐためには日本人を自由に入国させることが必要である。だから、停止からわずか3週間で解除したのである。

日本政府は中国からの入国者全員をPCR検査することを決めた。他の外国からの入国者はPCR検査をしないのに中国だけはPCR検査をすることにした。日本のPCR検査に反発した中国政府は仕返しとして日本へビザ発給を停止したのである。しかし、日本人の入国を停止すれば中国経済が悪化する。そのことに気が付いた中国政府は停止を解除した。

時事通信は「経済再建へ日本頼み　投資誘致急ぐ中国」の記事で「新型コロナウイルスの感染拡大を徹底的に封じ込める「ゼロコロナ」政策により国内経済が大打撃を受けたことを踏まえ、日本からの投資呼び込みで経済再建を急ぐ」と述べている。

台湾侵攻すれば中国は日本、米国、EUと国交断絶する。中国経済は恐慌になる。ソ連が崩壊したように中国の現体制は崩壊するだろう。

崩壊しないために中国は台湾侵攻をしない。できないのである。

2月2日

ロシア自動車生産、22年は旧ソ連崩壊後最少・・・台湾有事はない

ロシアの2022年の国内自動車生産台数は67%減の45万台と、1991年の旧ソ連崩壊後最も少なくなった。原因はウクライナ侵攻に対する米国、西欧の経済制裁と外国メーカーのロシアからの撤退が要因である。これまで旧ソ連崩壊以降で生産台数が最も少なかったのは世界金融危機直後に当たる09年の約60万台だった。それよりも15万台も少ないのだ。自動車だけでなく他の製品の生産も50%以上減ったはずである。

中国が台湾に侵攻すればロシアと同じように経済悪化するだろう。中国が一帯一路戦略で世界に進出できるのは世界第二位の経済力があるからである。台湾侵攻すれば一気に経済悪化し経済力が弱くなることがロシアのウクライナ侵攻で明らかになった。習政権が確実に経済悪化する台湾侵攻をすることはない。台湾有事は絶対にない。

2月4日

徐々に強まる米国・アジア民主主義国による中国包囲網

米国とフィリピン両政府は、米軍がフィリピンで使える拠点を4カ所増やして計9カ所にすると発表した。候補地は台湾に近いフィリピン北部などがとされる。米国は台湾有事への即応態勢を強化している。

日本とフィリピンは2017年以降、自衛隊と比軍に米軍も交えて人道支援・災害救援の共同訓練を行ってきた。これまでの訓練を踏まえて日比首脳は共同訓練全般に適用される「円滑化協定」(RAA)を締結しようとしている。自衛隊とフィリピン軍に米軍を加えた共同訓練は中国のフィリピンへの威圧的行動への防波堤を築くことになる。

昨年12月には、航空自衛隊がフィリピン北部ルソン島のクラーク空軍基地にF15戦闘機2機を派遣した。東南アジア諸国連合(ASEAN)加盟国に対する日本からの戦闘機派遣は戦後初めてだった。同年10月に行われた米比両軍の海兵隊による共同

演習「カマンダグ」には、陸自と韓国の海兵隊がオブザーバーとして参加した。

民主主義国の中国包囲網の強化はクワッドの日本、米国、オーストラリア、インドに加えフィリピン、韓国も加わった。もっと増えるだろう。

中国包囲網の強化は台湾有事が起こった時の対策ではない。台湾有事を起こさないための対策である。

徐々に強まるASEANによる中国包囲網

ASEAN（東南アジア諸国連合）加盟国
インドネシア、カンボジア、シンガポール、タイ、フィリピン、ブルネイ、ベトナム、マレーシア、ミャンマー、ラオス（全10か国）

東南アジア諸国連合（ASEAN）は4日、インドネシアのジャカルタで外相会議を開いた。インドネシアのルトノ外相は、中国とASEANの一部加盟国が領有権を争う南シナ海の問題について、中国と他の東南アジア諸国との協議を後押しし、紛争防止に向けた行動規範（COC）を最終決定する計画だと述べた。

ASEANは中国の暴力的なアジア進出を防ぐ方向に向かっている。フィリピンは日米軍協力を強くしている。ベトナム、マレーシア、ブルネイ、シンガポールはTPP加盟国であり、日本と親しい国である。

ASEANは紛争防止によって中国包囲網を強めている。

【米中沖縄決戦】日米識者の徹底シミュレーションのくだらなさ

米国の安全保障の専門家たちが描くシナリオをもとに、2年後に勃発する「有事」の詳細を予測するという。

米中「沖縄決戦」展開予想図を見ただけでくだらない予想であることが分かる。

「中国による第一撃は、台湾海峡を支援する航空機が発着できる飛行場に対するミサイル攻撃でしょう。

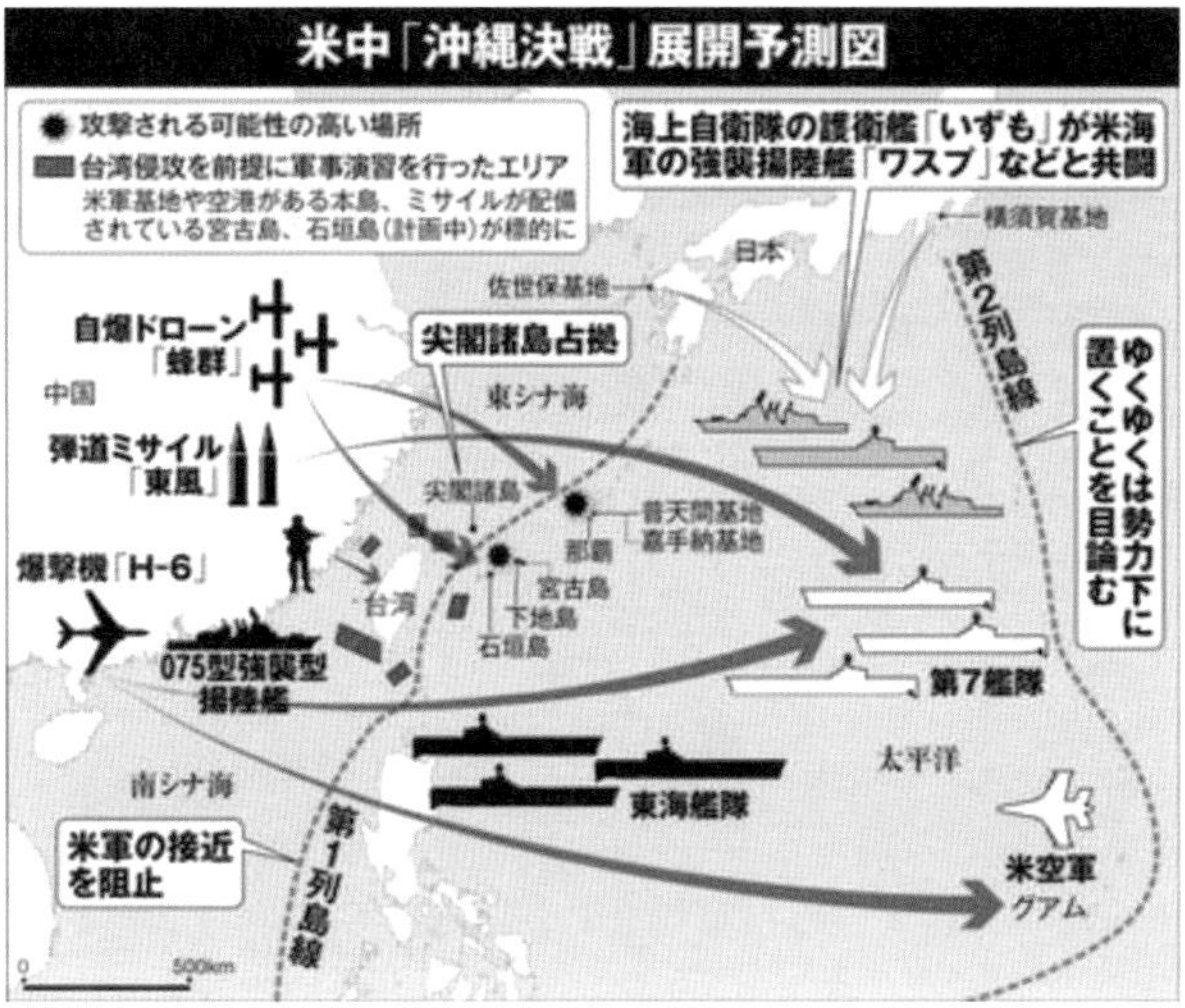

攻撃対象は米軍基地には限られない可能性がありま す」(防衛研究所・防衛政策研究室長の高橋杉雄氏)と述べている。米軍の情報収集は非常に優れている。中国軍が台湾に侵攻する情報を米軍はすでに掴んでいて、対策を立てている。米軍はすぐに台湾と中国の間の海に出撃して、中国軍が台湾侵攻するのを阻止するだろう。予想図は台湾海峡に米艦隊がいない。太平洋に第7艦隊があるが、そんなはずはない。

第７艦隊も台湾の近くにあるはずだ。それにクワッドに参加しているオーストラリアの軍艦、自衛隊の軍艦も台湾を守るために中国軍と戦っている。

専門家たちが想定している「有事」は２０２５年である。国会では憲法改正賛成議員が３分の２を超えている。確執に憲法改正ができる状態である。憲法改正によって自衛隊は軍隊になっている。友好国である台湾を守るために自衛隊=日本軍は中国軍と戦うだろう。

専門家の予測では、那覇空港や下地島空港も標的となる。被害は米軍や自衛隊にとどまらず、空港職員や観光客にも及ぶという。沖縄攻撃に使用されるのが、神風ドローンの異名を持つ自爆式「蜂群」だという。蜂群は、名前の通り、蜂のように群れを成して襲ってくる。その数はなんと２００機でありすべてを打ち落とすのは不可能であるという。

中国と沖縄の間の海域は日米艦隊が支配するのは確実である。日米艦隊、戦闘機、沖縄基地からのミサイル攻撃で多くのドローンを撃墜するのは確実である。沖縄の被害は少ないだろう。ところが軍事専門家の予想では瞬く間に沖縄の要所は破壊され、台湾支援ルートは絶たれるのだ。中国軍は空爆と砲撃で台湾の海空戦力を数時間で潰し、次いでミサイル部隊と海軍で台湾全体の周辺海域を封鎖し、台湾を征服、尖閣諸島は占拠されるという。中国軍が圧倒的に強く、日米軍は中国の台湾、沖縄攻撃を防御できないと予測している。アホくさい予測だ。

予測したのは防衛研究所・防衛政策研究室長の高橋杉雄氏、軍事ジャーナリストの黒井文太郎氏、軍事評論家の高部正樹氏の軍事専門家たちである。

軍事力1位はアメリカで日本は5位である。インドは4位である。中国は3位である。その中国が米国、日本の連合軍と戦争をするのである。日米だけではない。クワッドのオーストラリア、インドも中国戦に参加するだろう。

中国軍が簡単に台湾、沖縄を攻略できると予測する日本の軍事専門家は日米の軍事力に無知であるし、台湾有事対策を日米がすでに進めていることを知っていない。米国はフィリピンの米軍基地を4地域から9地域に増やすことでフィリピンと合意した。日本もフィリピンとの軍事連携強化をマルコス大統領と合意する予定である。

沖縄米軍基地はアジア全体の安全を守るのが軍事戦略であった。しかし、それを中国対象に絞ってきたようである。沖縄の海兵隊をグアムに移動する。海兵隊が出動するような状況が減ったからである。警戒をするべきはアジアではなく中国である。だから、沖縄は中国対策の米軍基地に変わりつつある。

２月１０日

自衛隊・米軍は6年前から中国のミサイル対策訓練はやっていた　それを知らない軍事専門家の愚かさ

自衛隊と米軍は１７日から２２日まで陸上自衛隊の宮古島駐屯地や八重瀬分屯地、航空自衛隊那覇基地などで、他国からミサイルが飛来する事態をシミュレーションして訓練する。

沖縄にミサイル攻撃できるのはアジアでは中国だけである。だから、中国のミサイル攻撃を想定しての軍事訓練ということだ。このような訓練は２０１７年度から日米共同統合訓練として実施してきたと琉球新報が報道した。

【東京】自衛隊と米軍は17日から22日まで陸上自衛隊の宮古島駐屯地や八重瀬分屯地、航空自衛隊那覇基地などで、他国からミサイルが飛来する事態をシミュレーションして対応を訓練する「日米共同統合防空・ミサイル防衛訓練」を実施する。山崎幸二統合幕僚長が9日の定例記者会見で発表した。

日米の部隊間でネットワークを構築し、探知から迎撃までの動作を確認する。2017年度から日米共同統合訓練として実施しており、今回で6回目。

琉球新報

米軍と自衛隊は6年前から中国軍が台湾、沖縄の攻撃に対する訓練をしていたのだ。

この事実を軍事専門家が知らないはずはないと思っていたが、そうではない。知らないで中国軍が台湾、沖縄を簡単に進行すると予想している軍事専門家が多い。愚かな軍事専門家たちよ。

７５年間 沖縄は一度も攻撃されなかったその理由を解明してから攻撃されることを主張しろ

戦後、朝鮮戦争、ベトナム戦争、カンボシア戦争、イラク戦争、アフガン戦争で沖縄の米軍は戦った。アジアの国々と戦争をしたが一度も沖縄が攻撃されたことはなかった。沖縄駐留の米軍はアジアで多くの国と戦争したのに一度も攻撃されなかったのだ。

沖縄を基地強化すれば攻撃される。攻撃されないために日米政府は基地強化をしないで平和交渉をするべきであると主張する学者やジャーナリストは多い。戦争をしないために基地強化をするなと主張する学者とジャーナリストたちよ。沖縄が７５年間攻撃されなかった原因を説明しろ。説明して初めて基地強化すれば攻撃されることを納得させることができる。

説明できるはずがない。沖縄が攻撃されなかったのは米軍が強かったからだ。それが一番の理由だ。

2月12日

台湾の専門家は中国が戦争できるのは2035年以降と予測している　日米識者の2025年説を完全に崩している

人民解放軍研究の第一人者である淡江大学国際事務・戦略研究所助教の林穎佑（リン・インヨウ）氏は台湾有事の可能性は2035年であると予測している。早くて2035年であり、それ以後も中国軍が攻めてくるのは容易ではないと指摘している。中国軍が攻めてくる可能性は非常に低いと林氏は予測している。

中国軍が台湾侵攻しない原因を林氏は中国軍の攻撃力の弱さであると述べている。その具体例として中国のミサイル発射の効率の悪さを指摘している。

沖縄の近海にも発射したミサイルは全部で11発だった。ところが、中国側の国営放送局CCTVが発射の当日の午後3時に準備したニュース原稿では、当初「16発」と発表されることになっていた。ということは5発は発射できなかった。発射に成功したのは3分の2であった。予定したミサイルの3分の1がまともに稼働しなかったとすれば、これは軍事的にはかなり深刻な問題であると林氏は指摘し、稼働率の悪さが人民解放軍にはあると述べている

人民解放軍の近代化が遅れていることは以前から指摘されている。人民解放軍は国内の人民を解放するために地主などの旧支配層と戦い、政権争いで蒋介石軍と戦った。人民解放軍は国内戦の経験だけで外国との戦争はしていない。軍の近代化はかなり遅れている。

中国の兵器や戦術はロシア（ソ連）から取り入れたものが多い。ウクライナ戦争で明らかになったロシア軍が持つ弱点は、人民解放軍も共通して抱えている可能性が高いと指摘し、中国軍は弱い。米軍と互角には戦えない。台湾も中国の攻撃に耐えることができると指摘。

中国は軍の近代改革を進めている。2030年代に実現する。しかし、米国、台湾も改革していくから攻めるのは容易ではない。

2月13日

経済が「悪性スパイラル」に陥没した中国に台湾侵攻はできない

現在の中国経済は「悪性スパイラル」に陥没している状態である。

GDP（国内総生産）の約30％を占めた不動産がさっぱりで、大手デベロッパーの倒産が続いている。中国不動産バブル崩壊の代表例が不動産大手「中国恒大集団」である。社債がデフォルト（債務不履行）となって投資家のカネ返せ抗議活動が本社前を囲んだのは2021年からだ。22年1月には同社株が香港株式市場で取引停止となった。中国全土でマンション価格の値崩れが激しく、中には半額セールもある。中国の経済悪化は不動産だけではない。習主席が陣頭に立ち世界戦略として展開した一帯一路が行き詰まっている。スリランカ、パキスタン、ザンビアなどでデフォルトが相次ぎ、貸したカネの回収が難しくなっている。中国の大きな経済損失である。

習政権は国内の民間企業への締め付けを厳しくしていって民間企業が停滞していった。そのために中国経済は悪化した。

民間企業の悪化、不動産バブルの崩壊、一帯一路の失敗等々で中国経済は悪化している。悪化の最中にコロナ感染が拡大したのである。週政府はコロナ対策としてゼロコロナ政策を実施した。多くの人が厳しい行動制限によって職を失ったり収入が減ったりするなどして生活が苦しくなり、経済はますます悪化した。国民は政府の「ゼロコロナ」政策に強い不満を抱き、抗議運動が拡大した。経済悪化と国民の抗議によって習政権はゼロコロナ政策を止めた。ゼロコロナ政策でこれ以上に経済悪化が進めば習政権が崩壊危機に陥るからだ。

現在の習政権の大きな課題はゼロコロナで悪化した経済回復にある。経済回復こそが習政権の大きな課題だ。

台湾侵攻をすれば米国、日本、NATOの経済制裁、国内の外国企業の撤退によって一気に中国経済は破綻する。習政権に台湾侵攻する余裕は全然ない。

軍事だけでなく経済でも台湾有事は起こらないことが分かる。

2月15日

台湾有事になればNATOが支援するのを前務総長が宣言

ラスムセン前NATO事務総長は今年1月始めにNATO事務総長経験者として初めて台湾を公式訪問した。

同氏は台湾滞在中の記者会見で、台湾有事の際のNATOの対応につき、かなり踏み込んだ発言をした。ラスムセン氏は、ロシアのウクライナ侵攻から得られる教訓を挙げ、民主主義陣営は台湾を支援することで、中国の台湾侵攻を抑止し、台湾人が自由、民主主義、自己決定の原則により自らの将来を決められるようにしなければならない、と論じている。

6、7年前から台湾軍は将校を定期的にイタリアにあるNATO国防大学に派遣している。すでにNATOも中国から台湾を守る対策をやっていたのである。

NATOが台湾の自由、民主主義、自己決定を守ることをラムスセン氏は強調している。NATOだけではない。ウクライナを支援している50カ国以上の民主主義国家は、中国が台湾侵攻すればウクライナと同じように台湾を支援するだろう。台湾が中国に属している否かの問題ではない。台湾は民主主義であり、民主主義が破壊されるのを守る戦いなのだ。台湾の民主主義を守るために米国、日本、NATO、オーストラリア、インドなど多くの民主主義国家が中国と戦う。ウクライナ戦争で中国も知ったはずである。中国は台湾侵攻できない。

２月２０日

不思議な国ベトナム　米国と戦争した社会主義国家なのに中国より日米と親しい

南ベトナムで米軍はベトコン(南ベトナム解放民族戦線)と激しい戦争をやった。嘉手納飛行場は毎日重爆撃機Ｂ５２が飛び立ちベトナムを爆撃した。ベトコンはトンネルや森を巧みに利用したゲリラ戦で米軍と互角に戦った。米軍は枯れ葉剤の爆弾まで投下した。

米軍は１９７３年に撤退した。米軍が撤退したので軍事力が弱くなった南ベトナム軍事政権は１９７５年に敗北した。

２０数年前、コンビニエンスをやっていた。コンビニエンスは明るいので夜の9時を過ぎても少年たちがたむろする。たむろしている少年たちを説得してコンビニから立ち去らせるようしていた。ある日、１０人ほどの少年たちがたむろしていたので、私はコンビニを出て少年たちに近づいた。少年たちは外国語を話していた。日本語を話せるか聞いた。少し話せると言った。どこの国から来たかを聞いた。聞いて驚いた。なんと少年たちはベトナム人だった。具志川にある日本語学校で日本語を勉強する目的で沖縄にきたという。ベトナム人が沖縄に来たということが信じられなかった。

ベトナム戦争の時、嘉手納飛行場から重爆撃機Ｂ５２が飛び立ちベトナムに爆弾を落としていた。ジャングルに枯葉剤をまいて木を枯らした。米兵は沖縄を経由してベトナムに行ったし、沖縄で休養した。

沖縄は米軍がベトナムを攻撃する本拠地と言えるような場所だった。嘉手納飛行場の近くに住んでいたからＢ５２の離着陸する激しい爆音を毎日聞いていた。ベトナム人を殺すＢ５２の爆音を毎日聞いていた。

ベトナム戦争はベトコンが勝利してソ連や中国と同じ社会主義国家になった。ベトナム人は沖縄を恨んでいるだろうし、社会主義国家になったからベトナム人が沖縄にくることはないと思っていた。しかし、来ていた。しかも日本語を勉強する目的で。なんのために日本語を勉強するのか。日本の大学に進学したり会社に就職するためである。

ベトナムは社会主義国家なのだからソ連、中国と親しくし、日米とは対立すると思っていた。だから、少年たちが日本語を学ぶために具志川に来ているのが信じられなかった。

現実は日本の会社に就職するベトナム人は増え続けた。日本への就職はベトナムは貧しいからだという。そうだとしても民主主義と敵対している社会主義のベトナム人が日本にどんどんやって来るのには納得できなかった。

さらに驚くことが起こった。ベトナムがＴＰＰ１２に参加したことである。ＴＰＰ１２は米国が中心とした自由貿易協定である。ＴＰＰの参加国は原則的に分野を問わずに関税を撤廃する。物品の関税撤廃や削減、サービス貿易のみならず非課税分野の投資、競争の自由、知的財産の保護など日米のルールを基本にしたものである。社会主義のベトナムが参加するのは考えられないことであるが参加した。

社会主義国家でありながらＴＰＰに参加したことでベトナム政府がベトナムの貧困を重視し、貧困から脱するために経済発展を最優先にしていることを知った。

ＴＰＰは米国が抜けて成立危機に陥った。安倍首相の努力でＴＰＰ１１が２０１８年に発行された。現在はＴＰＰ１１に参加しているベトナムに日本企業などの投資が増えている。中国よりベトナムの方が外国企業の投資が増えているという。

貧困脱出のために経済発展を優先し、ＴＰＰ１１に参加しているベトナムは社会主義国でありながら民主化は進んでいくと思う。

ベトナム戦争時代からは予想できないことである。ベトナム戦争で米国が敗退して南ベトナムは北ベトナムが支配するようになり社会主義国家になった。アジアは社会主義が拡大していく勢いだった。しかし、今はマレーシア、インドネシアなど民主主義国が多くなっている。それに社会主義国ベトナムがＴＰＰ１１に参加している。アジアの民主化は大きく拡大している。アジアのＴＰＰ１１参加国は日本、ベトナム、マレーシア、シンガポール、ブルネイである。参加国が経済発展すれば新たに参加する国が増えるだろう。

２月２０日

習政権は不安定な状態である

中国では習近平政権になってから、著名な企業幹部の失踪が相次いでいる。

北京に拠点を置く投資銀行「チャイナ・ルネッサンス・ホールディングス（華興資本）」は2月16日の香港証券取引所への届出書類で、同社の創設者のバオ・ファン（包凡）会長と連絡が取れない状態になっていることを報告した。

ＢＢＣによると「中国のウォーレン・バフェット」と呼ばれる複合企業、復星国際の創業者で会長のクオ・クアンチャン（郭広昌）は、２０１５年１２月に行方不明になったが、数日後に再び姿を現した。ＢＢＣは、郭が消息を絶っていた間に中国政府の調査に協力したと報じていた。

歯に衣着せぬ発言で「中国のトランプ」の異名をとる不動産業界で財を成した富豪のレン・ジチャン（任志強）は、ＣＮＮによると２０２０年に習近平を批判した後に数カ月間行方不明となり、その後、汚職容疑で１８年の禁固刑で収監された。

アリババの創業者の馬雲（ジャック・マー）は、中国の金融規制制度を批判した後に数カ月間姿を消し、２０２２年に東京で再び姿を現したとされる。同じく中国の投資会社である新城発展（Seazen Group）も2月１０日の提出書類で、副会長のQu Dejunが失踪したと報告した。

人民解放軍の政権から官僚の習近平の政権になると国営企業を優遇し民間企業を弾圧するようになった。

中国が経済成長し世界2位の経済大国になったのは人民解放軍の鄧小平が市場経済を導入し国内の民間企業の自由化、外国企業の受け入れを実施したからである。ところが習近平首相は市場経済を止め、中国の民間企業を弾圧した。中国経済成長は次第に落ちていった。中国経済が落ちたのはゼロコロナ政策だけではなかったのだ。習政権では今後の経済の成長率は低くなり、マイナスになっていくだろう。

経済の不安定、人民解放軍との権力争い、民間企業の反発等々。習政権は安定していない。

2月21日

ベトナムが中国ではなく日本に高速鉄道計画の支援要請　ベトナムの中国離れ

ベトナムが日本に対し、「南北高速鉄道」建設での支援を要請した。高速鉄道は国土を縦断して首都ハノイと最大都市ホーチミンを結ぶもので、経済発展が進むベトナムの大動脈を形成する大型プロジェクトだ。日本に白羽の矢が立つ理由は、インドネシア高速鉄道における総工費膨張など、中国の巨大経済圏構想「一帯一路」の負の側面が各地で顕在化しているからである。

一帯一路は習主席の世界を支配するための戦略である。中国から借りた莫大な資金で、中国企業によるインフラ工事などをするが、工事は遅れ、それとともに中国への借金は増えて返済は滞り、膨大な借金によって中国に支配される仕組みになっているのが一帯一路である。

最近はスリーランカが被害を受けている。マレーシアやオーストラリアも被害を受けた。

2018年

マレーシア東海岸鉄道事業中止、広がる反一帯一路。中国主導の2つのパイプライン事業計画からも撤退の公算

中国が支援するマレーシア最大級のプロジェクト「東海岸鉄道」（ＥＣＲＬ）の計画を管理するマレーシア政府系のマレーシア・レール・リンク（ＭＲＬ）がこのほど、「国益にそぐわない」ことを理由に、中国の習近平政権が進める一帯一路主要事業、ＥＣＲＬの工事の即時中止を中国交通建設集団（ＣＣＣＣ）に命じた。マレーシア政府によると、同事業の即時中止は、マハティール首相が決定した。「契約内容だけでなく、融資率も高く、マレーシアにとっては不利益だからだ」という。

2021年

オーストラリア、州政府の「一帯一路」構想参加協定を破棄

オーストラリア政府は今回、中国とヴィクトリア州が結んでいた2つの協定を、新たに制定された権

限を使って破棄した。国益を守る合意に違反しているためと説明している。

マレーシアとオーストラリアは一帯一路は国益にならないことに気づいて一帯一路を破棄した。そのことに気づかないで「債務の罠」にハマったのがスリランカである。

「債務の罠」にハマったスリランカ

スリランカはアジアと中東・アフリカを結ぶシーレーン（海上交通路）の要衝だ。南端のハンバントタ港は２０１７年から９９年間にわたり中国国有企業に貸し出された。インフラ整備のため中国から湯水のようにお金を借りたものの結局、思ったような利益は出ずに返済不能に陥り、施設や土地を明け渡さざるを得なくなる「債務の罠」に陥った。

スリランカは国史上初めて、デフォルト（債務不履行）に陥った。経済は急速に悪化、インフレ率は４０％に加速する見通しで、国内では抗議デモや政治危機が起きている。

インドネシアも一帯一路の罠に

インドネシアの首都ジャカルタと第三の都市バンドンとを結ぶ高速鉄道プロジェクトは、日本が先行して準備を進めていたにも拘わらず、途中から中国が参戦し、最終的には、中国側に契約を奪われた。

２０１５年９月に中国に発注され、今月でちょうど6年になる。２０１９年には操業開始としていたが、プロジェクトは、操業どころか、今もなお工事中である。プロジェクトコストに至っては、その総額は大きく膨れ上がり、当初の予定価格を4割も上回るとされている。

ベトナムは中国の一帯一路の正体を知った。だから、中国の甘い話に乗らないで日本に「南北高速鉄道」建設を依頼したのである。ＴＰＰ１１に参加しているベトナムは社会主義国でありながら議会制民主主義の日本を戦略的かつ長期的な主要パートナーとみている。

国民を豊かにするために経済を発展させようとする国がアジアでは増えている。だから中国よりも日本との関係を強くする国々が増えている。

３月３日

クワッド（日米豪印）がロシア・中国に圧力をかけた

日本の林外相とブリンケン米国務長官、オーストラリアのウォン外相、インドのジャイシャンカル外相がクアッド外相会談を開いた。

中国の強引な海洋進出やロシアによるウクライナ侵略を踏まえ、４か国は共同声明に中露の名指しは避けつつ、「現状を変更しようとするいかなる一方的な試みにも反対する」と明記し、「国連及び国際システムを一方的に毀損（きそん）する試みに対処するために協力する」と強調した。

クワッドの４カ国は陸海空軍の合同訓練を何度もやり、中国の台湾侵攻、海洋進出への対抗を強化してきた。

今回は４カ国の外相が集まりロシアには「核兵器の使用またはその威嚇は許されない」、中国には。中国の海洋進出にルールを守るように国名は出さずに暗に警告した。

いよいよクワッドの結束は強力になってきた。中国、ロシアへの圧力は次第に強くなっていく。

米国は中国包囲に戦略を転換した

米国の戦略が変わった。ソ連、中国を中心とした社会主義国の拡大を阻止する戦略から中国包囲に変わったようである。

沖縄の祖国復帰は米軍基地に自衛隊を加えて沖縄の軍事基地を維持するのが目的であった。そのことを指摘していたのが琉大の学生運動であった。このことを２０１５年に出版した短編小説集「一九七一Ｍの死」に書いてある。

１９７１年の琉大の学生運動は日の丸と星条旗を交錯させて燃やしていた。右公園の県民大会では檀上を選挙して日の丸と星条旗を燃やした。燃やした理由は祖国復帰の理由はベトナム戦争で莫大な戦費を使って財政危機に陥った米国が財政を立て直すためにベトナムから引き上げ、沖縄の米軍基地も米軍基地も縮小しようとしたが、日本政府は沖縄を復帰させることによって負担を肩代わりして、米軍基地をそのまま維持する目的があって沖縄の祖国復帰であることを煮の丸と星条旗を燃やすことによって主張した。「一九七一Mの死」にこのことを書いた。

一九七一Mの死

琉球大学の学生集団は立ち上がり、ジグザグデモを始めた。そして、革新政党や労働組合の代表が居並んでいる会場の前に出ると、演壇の周囲をぐるぐる回り始めた。デモ隊の中から数人のヘルメットを被った学生が出てきて、演壇に駆け上がり、演説している労組の代表者と進行係を排除して演壇を占拠した。学生たちは演壇の中央で日の丸と星条旗を交錯させるとふたつの旗に火をつけた。灯油を染み込ませた日の丸と星条旗は勢いよく燃えた。演壇の回りをジグザグデモしている学生たちの意気は上がり、シュプレヒコールは大きくなった。

私は、日の丸と星条旗が燃え終わると、デモ隊は意気揚々と元の場所に戻るだろうと予想しながら演壇の周囲をデモっていた。すると、労働者の集団がデモ隊に近づいてきた。私はその集団はデモ隊への抗議の集団であり、デモを指揮しているリーダーたちと押し問答が起こるだろうと予想していたが、労働者の集団がデモ隊に接近すると、デモ隊の一角が悲鳴を上げて一斉に逃げ始めた。労働者の集団は抗議をするためではなく、学生のデモ隊を実力で排除するためにやってきたのだった。県民大会の演壇を占拠し、日の丸と星条旗を燃やしたのは横暴な行為であり許されるものではない。しかし、だからといって労働者集団が学生のデモ隊を問答無用に襲撃するのは私には信じられないことだった。唖然とした私は、逃げ惑う学生たちの流れに押されて走った。走っている途中で、前日の雨でぬかるんでいる泥土に足を取られ、片方の革靴が抜けてしまった。私は革靴を取るために立ち止まろうとしたが、逃げ惑う群の圧力は強く、私は群れに押し流されて与儀公園の外に出た。

・・・

・・・

・・・

日本は沖縄の祖国であり、母なる祖国に復帰するのが沖縄の悲願であると主張している祖国復帰運動家にとって、日の丸は祖国日本の象徴であり崇高な存在であった。ところが、その頃の琉球大学自治会は、崇高なる日の丸を、こともあろうに祖国復帰運動家たちが目の敵にして最も嫌っているアメリカの象徴である星条旗と交錯させて一緒に燃やす行為を繰り返していた。星条旗と一緒に日の丸を焼却する琉球大学自治会の行為は、日の丸を祖国復帰運動の象徴にしている運動家たちを嘲笑し侮辱しているようなものであった。だから、与儀公園の県民大会の主催者は琉球大学自治会を嫌悪し、参加を許可しなかったし、演壇で日の丸と星条旗を燃やした琉球大学自治会の学生集団を実力で排除したのだろう。

・・・

・・・

・・・

ソ連、中国、モンゴル、北朝鮮、北ベトナムなどアジア大陸のほとんどの国が日本やアメリカと対立する社会主義国家であり、アジアの社会主義圏は拡大しつつあった。ベトナム戦争は敗北の色が濃くなり、南ベトナムが北ベトナムに併合されて社会主義国家になるのは時間の問題だった。米軍が駐留していなければ北朝鮮に侵略される可能性が高い韓国、中国侵略に脅かされ続けている台湾、フィリピンの共産ゲリラの不気味な存在。カンボジアなどの東南アジアの毛沢東主義派の武力攻勢など、アジアは共産主義勢力がますます拡大し、日米政府にとってますます沖縄の軍事基地は重要な存在になっていた。

ベトナム戦争で莫大な国家予算を使って経済危機に陥ったアメリカは沖縄のアメリカ軍基地を維持するのが困難になり、経済力のある日本の援助が必要となっていた。そこで、日米両政府は沖縄を日本に返還することによって、沖縄の米軍事基地の維持費を日本政府が肩代わりする方法を考えだした。

沖縄が日本の一部になれば米軍基地を強化・維持するための費用を国家予算として日本政府は合法的に決めることができる。米軍基地の維持費を日本政府が肩代わりするための沖縄施政権返還計画は着々と進み、１９７１年6月１７日、宇宙中継によって東京では外相愛知揆一が、ワシントンではロジャーズ米国務長官が沖縄返還協定にそれぞれサインした。これで「沖縄返還協定」は１９７２年5月１５日午前0時をもって発効し、沖縄の施政権がアメリカから日本に返還され、沖縄県が誕生することになった。

日米政府による沖縄施政権返還協定に反発したのが「祖国復帰すれば核もアメリカ軍基地もない平和で豊かな沖縄になる」と日米政府が全然考えていない非現実的な祖国復帰を自分勝手に妄想し続けていた沖縄の祖国復帰運動家たちであった。妄想は妄想であり現実ではない。妄想が実現することはありえないことである。

　沖縄を施政権返還すれば沖縄のアメリカ軍基地の維持費を日本政府は堂々と国家予算に組み入れることができる。泥沼化したベトナム戦争のために莫大な戦費を使い果たし財政的に苦しくなっていたアメリカを日本政府が合法的に経済援助するのが沖縄の施政権返還の目的であった。それが祖国復帰の内実であった。ところが「祖国復帰すれば核もアメリカ軍基地もない平和で豊かな沖縄になる」という妄想を吹聴し続けた祖国復帰運動家たちは、祖国復帰が実現するのは祖国復帰運動が日米政府を動かしたから実現したのだと自賛しながらも、施政権返還の内容が自分たちの要求とは違うといって反発をした。妄想の中から一歩も飛び出すことができない祖国復帰運動家たちは祖国日本に裏切られたなどと文句をいい、日米政府が１００％受け入れることがない非現実的な「無条件返還」の要求運動を展開した。

　ソ連・中国等の社会主義圏とアメリカ・西ヨーロッパ諸国の民主主義圏との緊迫した世界的な対立やアジアの政治情勢やベトナム戦争の劣勢を考えれば、沖縄のアメリカ軍基地を再編強化するための本土復帰であるのは歴然としたものであった。世界やアジアの政治情勢を無視して、自分勝手に描いた妄想でしかない祖国復帰論が日米政府に通用するはずがなかった。

　琉球大学自治会は、沖縄の施政権返還は日本政府とアメリカ政府の共謀によって沖縄のアメリカ軍基地を強化維持するのが目的であることを世間にアピールするために日の丸と星条旗を交錯させて燃やし続けていた。私はその行為は理解できたし賛同もしていた。しかし、県民大会の議事進行を邪魔し、演壇を占拠して日の丸と星条旗を燃やすのは横暴な行為だ。許されることではない。あのような横暴なことをやるから一般学生は離れていくのだ。横暴で過激な行為は学生運動を衰退させてしまうだけである。

　明日になれば、私が学科委員長だった頃と同じように、それぞれの学科委員長はそれぞれの学科集会を開き、県民大会の演壇で日の丸と星条旗を燃やした意義を学生たちに説明するだろう。しかし、県民大会の議事進行を中断させて、演壇を占拠したことに正当性があるかどうかという問題はなおざりにするだろうし、日の丸と星条旗を燃やしただけで、琉球大学自治会の主張が県民大会に集まった人たちに理解されたかどうかの問題もなおざりにしてしまうだろう。私は過激化していく学生運動にため息をついた。

一九七一Mの死

沖縄の米軍基地はアジアの共産主義の拡大を押さえるのが目的であった。ベトナム戦争で共産主義は北ベトナムが勝ち、アジアに共産主義がどんどん拡大していく状態になっていた。ところが５０年後のアジアは７１年の予想と違った。１９９１年にソ連が崩壊した。ソ連の周辺国にはソ連から離れた国々が議会制民主主義国家になっていった。アジアでは共産主義はそれほど広がらなかった。

中国は習近平政権になると自由な市場経済をなくし、民間企業を弾圧して社会主義色を強めていった。米国は中国への警戒を強めていくようになった。

米国は日本、韓国、インド、フィリピン、オーストラリアなどの中国周辺の民主主義国家との連帯を強めて行って中国包囲網を築いている。

バーデスの五日間　上　１３００円(税抜き)

バーデスの五日間　下　１２００円(税抜き)

ジュゴンを食べた話　１５００円(税抜き)

一九七一Mの死　１１００円(税抜き)

台風十八号とミサイル　１４５０円(税抜き)

2月7日

米国は中国包囲網戦略に邁進している

沖縄返還協定調印によって復帰が決まった1971年に歴史に残ることが起こった。国連は蒋介石が率いる中国国民党の中華民国から毛沢東の人民解放軍の中華人民共和国を唯一の中国国家と認めた。中華民国は国家として認めず国連から排除した。中国の議席を中華民国から中華人民共和国に変えることに反対していた米国、イギリス、フランスなど一部のアメリカの同盟国は、個別に中華人民共和国を承認して中華民国と国交を断絶したのである。日本も同じだ。日米は中華民国を国として認めていない。

アジアは社会主義がどんどん拡大していく勢いであった。社会主義の勢いが突然にしてなくなったのが1991年のソ連崩壊である。ソ連崩壊をきっかけにソ連加盟国は次々と独立国家になっていった。米国が恐れたのはソ連による社会主義拡大だった。ソ連が崩壊したから、ソ連による社会主義拡大の恐れはなくなった。独立しアジアの国々の多くは民主主義国家になったので社会主義が拡大していく恐れはなくなった。

社会主義のベトナムではあるが日米と友好になり、民主主義国中心のTPP11に参加している。

米国は旧ソ連構成国の5カ国(ウズベキスタン、カザフスタン、キルギス、タジキスタン及びトルクメニスタン)と友好関係を築くことに動いた。

ブリンケン米国務長官は2月28日、訪問先のカザフスタン首都アスタナで中央アジアの旧ソ連構成国の5カ国外相らと会談した。

ブリンケン米国務長官は28日、訪問先のカザフスタン首都アスタナで中央アジアの旧ソ連構成国の5カ国外相らと会談した。ロシアのウクライナ侵攻から1年が経過する中、同地域との関係を深めるのが狙い。

ブリンケン氏はカザフスタンのほか、ウズベキスタンも訪問する。同氏が国務長官としてこの地域を訪れるのは、今回が初めて。

ブリンケン氏は5カ国のパートナーを含む国々とは、「経済波及効果について継続的に議論している」と述べた。また、米国がこれまで同地域に援助した

2500万ドルに加え、経済成長や新たな輸出市場開拓などを支援する同額の資金提供を発表した。

米国は旧ソ連から独立した国々とは対立ではなく友好関係を結ぶことを政治方針としている。旧ソ連時代から180度転換した米国である。

バイデン政権はウクライナ紛争で打撃を受ける国々に米国との協力のメリットを示す狙いがあるという。

ブリンケン氏はカザフのトカエフ大統領とも会談した。トカエフ大統領は「われわれは安全保障、エネルギー、貿易、投資など戦略的な重要分野で非常に良好で信頼できる長期パートナーシップを築いてきた」と米国との友好関係を歓迎している。

ロシアはウクライナに侵攻し激しい戦争が1年以上続いている。この1年ではっきりしたのはウクライナを支援する国が圧倒的に多いことだ。ロシアを支援している国は数カ国だけである。ウクライナ戦争でロシアが旧ソ連のように支配を拡大させることはできないことが明らかになった。

旧ソ連の勢力拡大を防ぐための沖縄米軍基地の役目は終わったに等しい。ソ連封じの役目は終わったが中国封じは終わっていない。習近平政権になると旧ソ連のような社会主義に変わってきた。

米国は政治、経済、軍事の全勢力を駆使して習独裁国家封じ込めを進めている。日本、豪州、印度、NATOと連帯しながら。

米国が中国包囲網に取り組んだのは習近平が社会主義路線に転換したから

中国は1978年から「黒い猫でも、白い猫でも、ねずみを取るのはよい猫だ」と経済発展に役立つなら資本主義でもいいという考えから市場経済の方向に政策転換をした。1992年からは米国、日本など外国資本の投資が増えて、経済が目覚ましく発展した。2010年には日本を抜いて世界二位になった。中国は海洋大国になることを国家目標とし、領海法の制定、巨額の予算措置など積極的に手を打った。

フィリピンに対して次のような違法行為をした。国際仲裁裁判所の判決である。

▽これらの岩礁を基点として排他的経済水域（EEZ）や大陸棚の主張はできない。

▽一部の岩礁はフィリピンのＥＥＺの範囲内にある。

▽中国による人工島の建設は、軍事活動ではないが違法である。

▽中国がフィリピンの漁船などの活動を妨害したのも違法である。

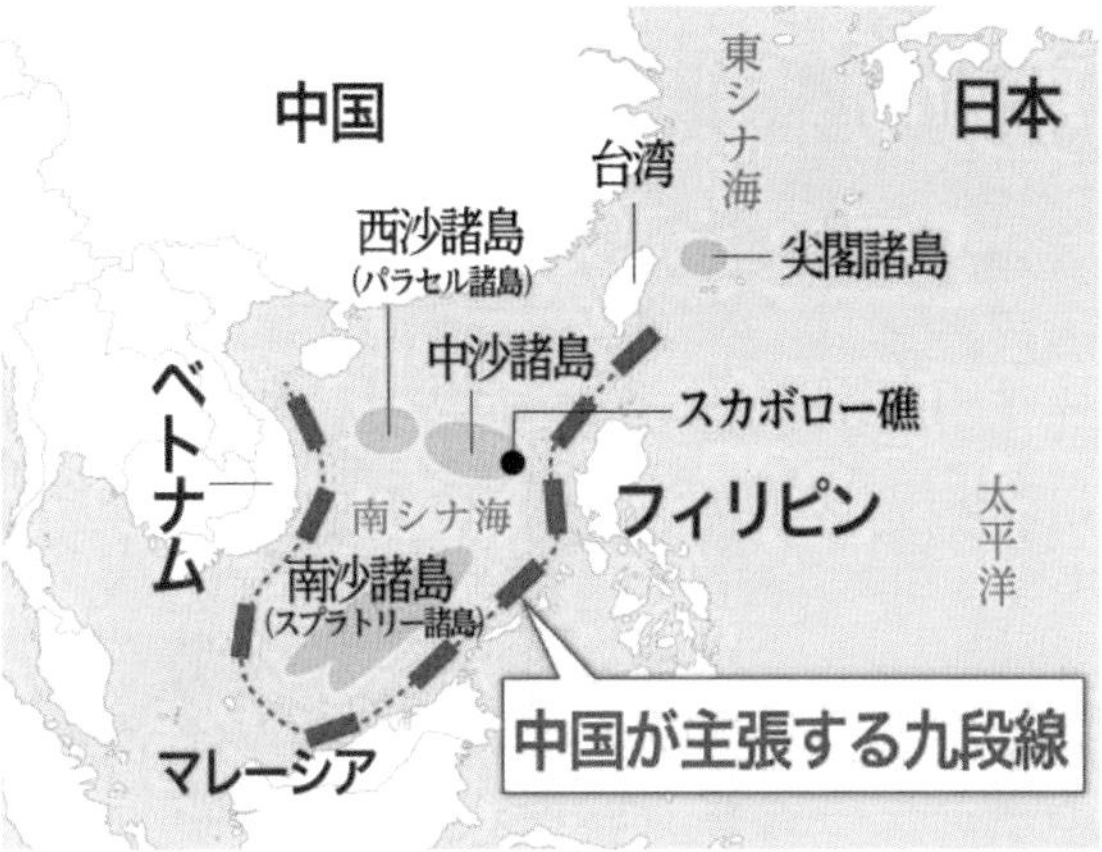

▽スカボロー礁で、中国の艦船は違法な行動によりフィリピンの艦船を危険にさらした。

米国はフィリピンの駐留軍を増やした。

中国はフィリピン、ベトナム、マレーシアにまたがる南沙諸島に人工島を建設した。

インドとも領土争いをしている。

２０１２年１１月の第１８回全国代表大会で習近平は共産党主席になった。毛沢東が率いる人民解放軍が革命を起こし、人民解放軍が政治権力を握ってきた。習近平は人民解放軍出身ではない。官僚出身である。これまで解放軍が政権を握り続けていたが、２０１２年に初めて軍人以外の人間が政権を握ったのである。

中国では習近平政権になってから、著名な企業幹部の失踪が相次いだ。

北京に拠点を置く投資銀行「チャイナ・ルネッサンス・ホールディングス（華興資本）」は2月16日の香港証券取引所への届出書類で、同社の創設者のバオ・ファン（包凡）会長と連絡が取れない状態になっていることを報告した。

ＢＢＣによると「中国のウォーレン・バフェット」と呼ばれる複合企業、復星国際の創業者で会長のクオ・クアンチャン（郭広昌）は、２０１５年１２月に行方不明になったが、数日後に再び姿を現した。

ＢＢＣは、郭が消息を絶っていた間に中国政府の調査に協力したと報じていた。

歯に衣着せぬ発言で「中国のトランプ」の異名をとる不動産業界で財を成した富豪のレン・ジチャン（任志強）は、ＣＮＮによると２０２０年に習近平を批判した後に数カ月間行方不明となり、その後、汚職容疑で１８年の禁固刑で収監された。

アリババの創業者の馬雲（ジャック・マー）は、中国の金融規制制度を批判した後に数カ月間姿を消し、２０２２年に東京で再び姿を現したとされる。同じく中国の投資会社である新城発展（Seazen Group）も２月１０日の提出書類で、副会長の Qu De jun が失踪したと報告した。

人民解放軍の政権から官僚の習近平政権になると国営企業を優遇し民間企業を弾圧するようになった。

中国が経済成長し世界2位の経済大国になったのは人民解放軍の鄧小平が市場経済を導入し国内の民間企業の自由化、外国企業の受け入れを実施したからである。ところが習近平首相は市場経済を止め、中国の民間企業を弾圧した。中国経済成長は次第に落ちていった。中国経済が落ちたのはゼロコロナ政策だけではなかったのだ。習政権では今後の経済の成長率は低くなり、マイナスになっていくだろう。経済の不安定、人民解放軍との権力争い、民間企業の反発等々。習政権は安定していない。

一帯一路を成功させるために中国は台湾侵攻できない

習近平国家主席は世界を支配する戦略として掲げたのが一帯一路である。２０１８年に出版した「内なる民主主義１７」に「世界経済戦争　米国『ＦＴＡ』、中国『一帯一路』に日本は『ＴＰＰ１１』で立ち向かえ」を掲載した。

習近平の一帯一路の狙いを次のように書いてある。

一帯一路構想とは、アジア、アフリカ、欧州をつなぐ経済圏の構想である。

特徴は、中央アジア、欧州へとつなぐ陸路と、東南アジア、インド、アラビア半島、欧州へとつなぐ海路で巨大な経済圏を創出し、圧倒的なブルジョア独裁官僚の莫大な資金力で面的なシェアと影響力を確保しに行こうというものだ。

今や、中国海軍の海外基地は、南シナ海での岩礁基地の建設から始まり、東南アジアからインド洋を経てアフリカまで広がっている。

スリランカは、債務を軽減してもらうのと引き換えに、中国に当該港の99年間にわたる運営権を与えた。

中国が海洋進出を重視する理由は、中国経済の繁栄を下支えする海路を確保するためである。だから、国外に次々と中国専用の港をつくっているのである。

中国は「真珠の首飾り」と呼ばれる南シナ海、マラッカ海峡、インド洋、ペルシャ湾に至るまでの港の拠点を着々と整備している。パキスタンのグワバル港、スリランカのハンバントタ港、バングラのチッタゴン港、ミャンマーのシットウェ港などを中国海軍の立ち寄り港とすることに成功している。

スリランカに対して中国は最大の武器供与国となっているほか、スマトラ地震で疲弊した同国に発電所、道路などのインフラ投資を行い、スリランカを中国の経済力の虜にしてしまった。

東南アジアでは、ミャンマー、ラオス、カンボジアなどは中国政治の影響を直接受けている。インドネシアやフィリピンなどの海洋国は、直接的な圧力はそれほど受けない代わりに、中国の経済力に吸い寄せられている。

中国のアジア浸透は急激に進んでいる。

「内なる民主主義17」

一帯一路は経済力を利用して発展途上国を支配していく戦略である。軍事力ではなく経済力で支配する戦略であるから、中国がプーチンロシアのように台湾を軍事力で侵攻すれば中国を警戒する国が増えるだろう。軍事力で支配されるのを恐れて一帯一路による経済援助を断る国は増えるはずだ。台湾侵攻は一帯一路戦略の破綻に繋がる可能性がある。2015年の参加国は60カ国ほどであったが、19年3月の記者会見で王毅外相が明らかにしたところによると、123カ国まで増えている。台湾侵攻すれば一気に参加国は激減するだろう。一帯一路戦略を成功させるために習政権は台湾侵攻をしない。

4月16日

嘉手納空軍基地の騒音がひどくなって

4カ月　米軍の中国包囲軍事戦略への転換が見えてきた

北谷町のカデナ空軍基地第1ゲート前で、大型エンジンを搭載し騒音が激しいF35などの配備に反対して、第4次嘉手納基地爆音差止訴訟原告団などが抗議集会を開いた。参加市民は180人だという。反対集会を開くほどに爆音がひどくなって4カ月になる。こんなに長い間爆音がひどいのは近年にはなかった。20年前のアフガン戦争以来である。だがアフガン戦争の時のようにはひどくない。

爆音がひどくなったのは過去に何度もある。その時は数日から一週間くらいだった。4カ月も続くというのは20年近くなかった。爆音のひどい状態が1週間以上続いたので変だなと思った。原因はなんだろうと考えたが思い当たらなかった。

1カ月を過ぎた頃に頭に浮かんだのが軍事戦略の転換が原因ではないだろうかということであった。

沖縄が日本から切り離され米国の統治下になった理由は沖縄が東アジアの扇の要の位置にあることであった。沖縄に米軍基地を設置して、米軍が社会主義の拡大を防ぐのが目的であった。朝鮮戦争、ベトナム戦争、カンボジア戦争などで米軍は沖縄から出撃した。沖縄の米軍基地がアジアの扇の要であり社会主義の拡大を防ぐための存在であることは60年前の高校生の時から頭の中にこびりついていたし、アジアの歴史はそのように展開してきた。

1991年にソ連は崩壊した。ロシア周辺の社会主義国家がロシアから離れて議会制民主主義なった国が増えた。ソ連を中心とした社会主義圏はなくなったのである。

ソ連の代わりに台頭してきたのが中国である。世界第二位の経済大国になった中国は軍事力を強めていった。そして、習近平主席になると一帯一路を掲げて世界進出を狙ってきた。領土拡大を狙っている中国は日本、フィリピン、インドなど中国周辺の国々と領土問題で争っている。習主席は台湾は中国であると宣言し、台湾への軍事侵攻を辞さないことを公言している。台湾侵攻の軍事訓練を繰り返している。

米国はソ連を包囲する軍事戦略から中国を包囲する軍事戦略に転換した。海軍はすでに中国周辺の海で訓練をした。嘉手納空軍基地の4週間の爆音増大は空軍の中国包囲の軍事訓練である。訓練と言っても海軍のように数カ国が一緒に訓練はできない。空軍の訓練は違った。

4週間の間にオーストラリア、英国、インドの戦闘機が違う日に別々に嘉手納空軍基地にやって来た。本土の米軍基地からもやって来た。中国と戦争になると嘉手納空軍基地が中心になるからだ。

中国と戦争になった時に参加する全ての戦闘機を嘉手納空軍基地で離着陸させたり、給油、整備をして戦闘機の性質を徹底して調べてコンピューターに打ち込み、コンピューターで戦争になった時のシミュレーションをするだろう。シミュレーションを参考にして戦闘機は訓練を繰り返すはずである。

米軍機が着陸してはいけない下地島空港に韓国の烏山（オサン）米空軍基地に所属する米軍機が宮古島周辺の上空を飛行中、1機にエンジントラブルが発生したとして、下地島空港に緊急着陸した。トラブルは嘘で着陸するための口実だろう。下地空港を綿密に調査する目的で着陸したのだ。中国と戦争になるのを想定している米空軍にすれば沖縄の空港の全てを調査する必要がある。

中国にも嘉手納空軍基地での訓練情報は伝わるだろう。嘉手納空軍基地で行われている中国との戦争対策訓練を知れば中国は台湾侵攻するのを躊躇するはずである。

中国は台湾侵攻しない。台湾有事は起こらないというのが私の考えである。その理由のひとつが米軍を中心とした日本、オーストラリア、イギリス、インドなどの軍事連帯による台湾支援である。米軍だけでも勝つことが難しいのに5カ国以上が連帯するのである。そのことを知っていながら台湾侵攻するほど中国はバカではない。

バカは台湾侵攻を信じているマスコミ、軍事専門家たちである。彼らは米国単独、日本単独の軍事を考えて、日米豪英印の連帯に加えてＮＡＴＯの支援を念頭に置いていない。彼らは沖縄の米軍基地がアジアの平和に非常に貢献してきたのを知らない。

中国は台湾侵攻しない。というより「できない」が真実である。

2月2日

台湾有事・田母神論文・日本学術会議に見られる議会制民主主義・三権分立に無知なジャーナリスト

沖縄タイムスに米国特約記者である平安名純代氏の『2025年までに台湾有事が起こり得る』米軍幹部が内部文書　嘉手納基地にも送付」の記事が掲載された。平安名氏は米NBCニュースが「米軍幹部が関係部署に送付した内部文書で、2025年までに台湾有事が起こり得ると警告し、沖縄から台湾、フィリピンを結ぶ第一列島線内に、統合機動部隊を配備するなど準備を急ぐよう指示した」と報じたという。

この記事を読んで米国は2025年に台湾有事が起こると予想していると思ったら間違いである。台湾有事は米軍のシミュレーションの一つであって米政府が予想したことではない。米国防総省はNBCの取材に対し、文書が送付されたことは認めたが「中国に関する国防総省の見解ではない」と否定している。2025年に台湾有事が起こるというのは米軍の仮定である。国防省が予想していることではない。つまり米政府は2025年に台湾有事が起こるとは思っていないということだ。そのことで米政府と米軍が台湾有事について考えが違う・・・米政府と米軍が対立している・・・と思うのは間違いである。米軍は軍事が専門で中国の軍事を詳しく調査し、中国と戦争になった時にはどのような展開になるかを研究している。模擬演習(シミュレーション)をして、戦略を研究していくのである。

米軍が戦争を決めることはできない。決めるのは政府である。米軍はいつどんな戦争になっても対応できるように準備している。政府の戦争決断にいつでも応じることができるようにしているのが米軍である。2025年に台湾有事が起こるというのは米軍が想定した一例である。2025年に台湾有事が起こった時の戦争の流れを米軍が予想したのを米NBCニュースが放送したのである。

習主席が台湾侵攻するかしないかは軍事だけでは判断できない。政治、経済も大きく関係する。政治では官僚を中心とした習政権と人民解放軍との対立問題がある。習政権は万全とは言えないのだ。経済は習政権が民間企業を弾圧したために経済成長が行き詰まっている。それに加えてゼロコロナ政策で経済はますます悪化した。政治、経済抜きなら２０２５年に中国が台湾侵攻するのを想定することができるが政治、経済を加えると習政権の台湾侵攻はないと考えられる。

米軍は２０２５年に台湾有事が起こった時に、中国軍と米軍の実力を分析すればどのような展開、結末になるということをシミュレーションしただけである。それを米軍が２０２５年に台湾有事が起こると予想していると思うのは間違いである。米軍は軍事のみに関わっている政治には関わってはいけないのが米軍である。米軍は政府の中の国防総省の管轄にある。

アメリカ合衆国国防総省・・・行政機関のひとつである。アメリカ軍の八武官組織のうち、沿岸警備隊、アメリカ公衆衛生局士官部隊、合衆国海洋大気局士官部隊を除く陸軍、海軍、空軍、海兵隊、宇宙軍の５つの軍を傘下に収めている。

米軍は行政機関である国防省の傘下にある。米軍は軍事のみに関わり、政治、経済には関われない。米軍が政治、経済も加えて中国の台湾侵攻を予測すればもっと確実な台湾有事を予想できるが米軍が政治、経済に関わることは禁じられている。

米軍が政府の管理下にあることをジャーナリストの田中良紹は次のように述べている。

「私も昔は「軍隊は悪」と思っていた。しかし米国議会を取材してその考えを改めた。米国議会はしばしば軍の幹部を喚問して追及する。議会は軍の予算を握っているので軍は議会の意向に逆らえない。戦争を遂行する権限も議会が握っている。つまり軍は国民の代表が集う議会の制約下にある」

国民主権の議会制民主主義国家で政治の主導権は国会にあって、軍は行政の政府の管理下にあるということである。

米軍が２０２５年に台湾有事が起こるというのは米軍のシミュレーションの一つであって現実的な予想ではない。

米軍のシミュレーションを現実に起こると錯覚しているのが平安名氏や本土のジャーナリストたちで

ある。彼らは米国の議会制民主氏主義を理解していない。だから、大騒ぎするのである。

別のシミュレーションがある。米国のシンクタンクCSIS（戦略国際問題研究所）のシミュレーションは中国軍が2026年に台湾へ上陸作戦を実行すると想定している。独自に実施した机上演習（シミュレーション）の結果を公表した。大半のシナリオで中国は台湾制圧に失敗したが、米軍や自衛隊は多数の艦船や航空機を失うなど大きな損失を出す結果となった。

中国の政治、経済の実情を知れば習政権が台湾侵攻できないことは簡単に分かる。それを知らないのが平安名、ジャーナリストたちである。

日本の議会制民主主義は軍国主義日本の敗戦により急遽設立した体制である。国民による普通選挙、三権分立の政治体制はできあがった。しかし、急速に設立したために議会制民主主義体制の法律に不備があった。不備が明らかになったのが日本学術会議法である。

行政を司るのが内閣である。自衛隊は内閣の統轄下に設置された防衛相の防衛大臣が統括している。防衛大臣は総理大臣が任命する。自衛隊の人事と方針は防衛大臣が管轄している。自衛隊が方針を決めることは禁じられている。政府の方針に反する政治的発言も禁じられている。でも、このことを認識していない政治家やジャーナリストは多い。そのことが表面化したのが田母神論文である。

2008年に当時航空幕僚長だった田母神俊雄が、2008年10月31日、「真の近現代史観」懸賞論文第一回最優秀藤誠志賞に応募した。題名は「日本は侵略国家であったのか」だった。田母神氏の論文が受賞してその内容が公表された。公表したことが違法行為であった。ところが田母神氏は違法であることを知らなかった。自衛隊が三権分立の行政の下にあり、防衛大臣が管轄する機関であるから政治発言をしてはならない。そのことは自衛隊幹部である田母神にとって常識であるべきだが田母神氏は知らなかった。だから、違法行為をした。

田母神論文の概略

「日中戦争は侵略戦争ではない」・「日米戦争はフランクリン・ルーズベルトによる策略であった」とする自説を展開したうえで、「日本政府は集団的自衛権を容認すべきである」と主張したものであった。

集団的自衛権

ある国家が武力攻撃を受けた場合に直接に攻撃を受けていない第三国が共同で防衛対処する国際法上の権利である。その本質は、直接に攻撃を受けている他国を援助し、これと共同で武力攻撃に対処するというところにある。

対中関係

日本は19世紀の後半以降、朝鮮半島や中国大陸に軍を進めることになるが、相手国の了承を得ないで一方的に軍を進めたことはない。蔣介石国民党の間でも合意を得ずして軍を進めたことはない。常に中国側の承認の下に軍を進めていた。

1936年の第二次国共合作によりコミンテルンの手先である毛沢東共産党のゲリラが国民党内に多数入り込んでいた。

『マオ 誰も知らなかった毛沢東』（ユン・チアン、講談社）や『黄文雄の大東亜戦争肯定論』、『日本よ、「歴史力」を磨け』（櫻井よしこ編、文藝春秋）」によれば、1928年の張作霖爆殺事件は関東軍の仕業ではなく、コミンテルンの仕業であるという説が極めて有力である。

東京裁判の最中に中国共産党の劉少奇が西側の記者との記者会見で「盧溝橋の仕掛け人は中国共産党で、現地指揮官はこの俺だった」と証言している。したがって、我が国は蔣介石により日中戦争に引きずり込まれた被害者なのである。

我が国は他国との比較で言えば極めて穏健な植民地統治をした。これは朝鮮半島の支配統治から明らかである。

コミンテルンの工作を受けたアメリカは、蔣介石に戦闘機100機からなるフライングタイガースを派遣するなど陰で支援しており、真珠湾攻撃に先立つ一箇月半も前から中国大陸においてアメリカは日本に対し、隠密に航空攻撃を開始していた。

対米観

ルーズベルト政権の中に300人のコミンテルン

のスパイがいた。（ベノナファイル、米国公式文書）財務省ナンバー2.の財務次官ハリー・ホワイトはコミンテルンのスパイかつ日本に対する最後通牒ハル・ノートを書いた張本人であり、彼はルーズベルト大統領の親友であるモーゲンソー財務長官を通じてルーズベルト大統領を動かし、日米戦争に追込んだ。

ルーズベルトは戦争をしないという公約で米国大統領になった為、日米開戦のために見かけのうえで第一撃をさせる必要があった。ルーズベルトの仕掛けた罠にはまり真珠湾攻撃を決行した。

もしハル・ノートを受け入れていたら、一時的に戦争を回避出来たとしても、当時の弱肉強食の国際情勢を考えれば、アメリカから第二、第三の要求が出てきたであろうことは容易に想像がつく。結果として白人国家の植民地である日本で生活していた可能性が大である。

人類の歴史の中で支配、被支配の関係は戦争によってのみ解決されてきた。強者が自ら譲歩することなどあり得ない。戦わない者は支配されることに甘んじなければならない。

アジア地域の安定のためには良好な日米関係が必須である。但し日米関係は必要なときに助け合う良好な親子関係のようなものであることが望ましい。子供がいつまでも親に頼りきっているような関係は改善の必要があると思っている。

戦後社会

東京裁判は戦争責任を全て日本に押し付けようとしたものである。そしてそのマインドコントロールは、戦後63年を経てもなお日本人を惑わせている。そのマインドコントロールのために、自衛隊は領域の警備も出来ず、集団的自衛権も行使も出来ない。武器使用も極めて制約が多く、攻撃的兵器の保有も禁止されている。諸外国の軍と比べれば自衛隊は雁字搦め（がんじがらめ）で身動きできない。

パリ講和会議に於いて、日本が人種差別撤廃を条約に書込むことを主張した際、英国や米国から一笑に付された。日本があの時大東亜戦争を戦わなければ、現在のような人種平等の世界が来るのが、あと100年ないし200年遅れていたかもしれない。多くのアジア諸国が大東亜戦争を肯定的に評価していることを認識しておく必要がある。

日本軍を直接見ていない人たちが日本軍の残虐行

為を吹聴している場合が多い。日本軍の軍紀が他国に比較して如何に厳正であったか多くの外国人の証言もある。

もし日本が侵略国家であったというのならば、当時の列強といわれる国で侵略国家でなかった国はどこかと問いたい。よその国がやったから日本もやっていいということにはならないが、日本だけが侵略国家だといわれる筋合いもない。以上のことから、「日本は侵略国家だった」などというのは濡れ衣である。

「日本は侵略国家であったのか」要約

田母神論文の要約を紹介したが論文が正しいかどうかは問題ではない。論文の内容と田母神処分は関係ない。論文がどんな内容であるかではなく政治的発言か否かが問題なのだ。

田母神氏が自衛隊の航空幕僚長でなかったら問題はなかった。自衛隊員でありながら政治主張をしたのが問題だった。自衛隊員は政治発言をしてはいけない。田母神氏は自衛隊員でありながら政治論文を公表したのである。だから、更迭処分されたのである。ところがマスメディアが問題にしたのは田母神氏の論文の評価であった。論文は正しい。支持派と不支持派に二分したのである。

田母神論文がPDFファイルで一般公表された。また同論文の英文も公開された。田母神論文の内容を知った浜田防衛相は田母神と電話で会話し、辞職を勧告した。しかし田母神は「間違っていますかね」と答え、辞職を拒否した。すると政府は持ち回り閣議で田母神の更迭を決定した。懲戒ではなく更迭処分にしたのは懲戒なら幕僚長としての定年までに手続きが間に合わないからであった。更迭処分だったので田母神氏は懲戒だったらもらえなかった退職金6000万円を受け取った。浜田靖一防衛大臣からは自主返納を求められた田母神は返納を拒否した。

論文の内容とは関係なく政治問題の論文を公表した時点で田母神氏を懲戒処分するべきである。三権分立の行政は国会が決めたことを実現する機関である。自衛隊は行政機関が管轄する組織であるから独自の政治主張はしてはならない。それが国民主権の鉄則である。

学習塾で国民主権、三権分立について教えた体験から田母神氏は懲戒処分するべきであると思った。懲戒処分ではなく更迭処分になったのにはちょっとした疑問は残った。政府が田母神氏を自衛隊から除外したのは当然と思っていた。

論文が正しいか否かではない。自由に政治発言をしたことが問題である。自衛隊に政治的発言は許されない。行政の配下にある自衛隊員には表現の自由はない。徹底して国民主権に従う義務しかない。それが自衛隊員である。田母神氏は議会制民主主義の基本を知っていなかったのである。

国民の選挙によって議員は選ばれる。立候補者の中で一番多く票が多かった一人だけが当選する。議員は自由の原理ではなく多数決の原理で存在するのだ。国会では多数決で法律を決める。多数決で選ばれた議員の多数決で法律は決まる。政治の原点は多数決である。自由ではない。国民主権の政治は多数決によって実現しているのだ。それが議会制民主主義である。

自衛隊員に自由な発言が許されるなら政府の方針を批判することが許される。政府の方針に反対する自衛隊員が増えて、政府の方針に反対する自衛隊グループが生まれるだろう。反政府自衛隊グループが自衛隊の実権を握れば武力で政府を打倒し、自衛隊政権が樹立される。それがミャンマー、タイである。ミャンマー、タイは議会制民主主義を武力で倒した軍事政権である。国民主権を守るためには自衛隊に政府の方針を忠実に守らせ、政治的な発言は一切させないことである。それが議会制民主主義を守ることである。田母神氏は国民主権の精神が欠落していた。国民主権の精神が欠落した自衛隊は懲戒処分するべきである

国民の選挙によって国会議員が選出される。選挙に立候補する者は表現が自由だから自分の思ったことを自由に主張する。表現は自由であるが国民の投票が当選を決定する。国民によって選ばれた候補が議員になる。国会議員の多数決で法律が成立し、政治の方向性が決まる。

国会で決めた政治の方向性を実際に行うのが国会で選ばれた首相を中心とした内閣である。内閣は国会が決めた法律を忠実に行う行政機関である。法律に従う機関であって法律をつくる機関ではない。内

閣には表現の自由はない。国会の命令に従うのが内閣である。内閣の支配下にあるのが自衛隊である。自衛隊員に政治表現の自由があるはずがない。。国民に選ばれた国会議員が決定した法律に従う義務がある。国民主権に従う義務が内閣にある。自衛隊の義務を破った田母神氏を政府が懲戒処分をするのは当然である。

田母神氏は政府の更迭処分によって退職した。懲戒処分ではなかったので６０００万円の退職金が出た。政府は懲戒処分にして退職金を払うべきではないというのが私の考えだった。

田母神問題を扱ったのは議会制民主主義の三権分立では軍が政治判断はしない。だから、米軍が２０２５年に台湾有事が起こるという想定は軍事的なシミュレーヨンであって実際に台湾有事が起こるという想定ではないことを知ってほしかったからである。米軍に求められているのはいつ戦争が起こっても適切に対応することである。台湾有事を想定するのは米軍ではなく国防省と大統領府の専門チームである。

マスメディアの軍事専門家が台湾有事問題で米軍が政治判断に関わっているような表現があるので、軍が政治判断をするのは違法行為であると説明するために田母神問題を引用しようと考えた。ｇｏｏｇｌｅで田母神問題を探して驚いた。

マスメディアでは田母神論文支持派と反対派が紛糾していたのだ。マスメディアでは論文の内容に注目していて賛否に分かれていた。自衛隊員が政府の主張に反論するのは駄目であるという意見はあったが、賛否に関係なく政治論文を公表するのは違法行為であると指摘するジャーナリストは居なかった。彼らは日本の議会制民主主義、三権分立を理解していない。国民主権を裏切っている連中である。

自衛隊と共通するのが日本学術会議である。

日本学術会議は、日本の科学者を代表する組織であると言われているが、違う。日本の科学者を代表する組織ではない。内閣総理大臣の所轄の下にある内閣府のひとつの機関である。総理大臣の所轄下にある学術会議は行政機関のひとつである。行政機関には自由はない。国民主権の方針に従わなければならない。今の学術会議メンバーは国民の選挙では選出されていない。学術会議の実権を握るメンバーが指名している。次第に左翼系の学者が増えている実態がある。

日本学術会議が注目されたのは推薦した会員候補１０５名のうち６名を菅首相が任命拒否したことだった。過去に任命拒否をした前例がなかった。学術会議の学者たちは菅首相を批判した。学術会議側が主張したのが学問の自由であった。

「日本学術会議は、独立して職務を行う」と第３条に書いているから、学問の自由に基礎づけられた学術研究の成果をもちより、政治権力に左右されない独立の活動によって、政府と社会に対して政策提言を行うことを職務とすると主張している。学術会議は政治権力に支配されない独立の活動をすると主張している。

政治権力とは国民主権の権力である。学術会議は国民主権の政府に対して学問の自由によって政策提言をするというのである。国会で政策は決まる。決まった政策を現実化していくのが政府であるのに学術会議は国会が決めた政策に縛られないで自由に提言するというのである。

国民に選出された国会議員の政策と同等の権利を持つというのが学術会議の主張である。すでに国会で決まった政策に対して学術会議は異論を主張する権利があると主張している

学術会議は議会制民主主義の三権分立を理解していない。

日本学術会議は１９５０年に「戦争を目的とする科学の研究は絶対にこれを行わない」旨の声明を出した。また　１９６７年には同じ文言を含む「軍事目的のための科学研究を行わない声明」を発した。明らかに違法宣言である。しかし、政府は違法であることを指摘しなかった。

学術会議は政府からの独立、学問の自由を理由に政府の軍事的安全保障研究を断ってきた。これは議会制民主主義の三権分立原則を破るものであるがそれを政府は放置してきた。表現の自由と政府からの独立を理由に学術会議は違法行為を続けているのである。

沖縄　沖縄　沖縄

「米兵が記者に銃口！県民に向けたのと同じ」ではない　アホくさいでっち上げ

在沖米陸軍兵士が銃を携帯して軍港内の倉庫を警戒する訓練をしている様子を琉球新報の記者は基地フェンスの外で動画と写真を撮影していた。すると記者に対し兵士の1人が銃口を向けたという。そのことを琉球新報は報道した。「米兵は銃を構えて数秒間静止していた」と記者は述べている。

新報の記事について玉城デニー知事は、「たとえ訓練で弾倉が入っていなくても（銃口を）向けるということは県民を敵視していることになる」と問題視した。

デニー知事の指摘は間違っている。米兵は県民を敵視していない。米軍が訓練したのは沖縄を想定していないからだ。沖縄以外のテロの危険性がある地域を想定している。訓練している場所は沖縄であるが訓練中の兵士にとっては訓練場所は沖縄ではない。

テロが銃撃するかも知れない危険な場所であるのだ。日本は治安がよくて暴動が起きることはない。それに日本国内の暴動であれば日本の警察が取り締まる。米軍が日本人を取り締まることは違法行為である。米軍が日本人を取り締まることはない。

兵士が記者に銃を向けたとしたら記者を県民ではなく日本以外の国のテロリストと想定したからだろう。沖縄なら銃で警戒する必要はないことを米兵は知っているからだ。県民と想定していたら銃を向けることはなかった。

琉球新報の写真は米兵が記者を狙って銃を向けているように見える。米兵と記者の距離は実は２５０メートルも離れていた。二人の間には障害物もある。米兵が記者に狙いを定めるのは難しい。2、３秒でできることではない。本当に2、3.秒静止している動画はない。写真だけである。一瞬ならあり得ることである。もし本当に2、３秒静止したのなら琉球新法は動画を公開するべきである。公開しなければ記事の信頼性を失う。

２５０メートルも離れた場所にいる記者に明確な意図をもって「銃口を向ける」にはしっかりと肩付けを行って望遠レンズを設置した照準器を覗かなくてはならない。米軍兵士が琉球新報記者を狙ったわけではないのは明らかである。

2.月には在沖米海兵隊が「非戦闘員避難」を守る目的の訓練を実施した。訓練は非常事態が起こっている地域での市街地移動を想定した訓練である。銃で武装した兵士が用心するのは近距離人物である。遠距離の狙撃手ではない。このグループの兵士が２５０メートル離れた記者に銃を向けることはあり得ないことである。

ユーチューブに琉球新報がスライドを発表した。左側を見上げたりして左側を向いていた兵士がゆっくりと右側を向いたが、記者の方を向いて銃を向けた瞬間にスライドは消え、米兵が銃を向ける写真になった。銃を向けてからのスライドはなかった。記者を狙って銃を向けた時と偶然向けた時とは向けた後の兵士の様子で分かるはずである。しかし、向けた後のスライドはなかった。

スライドの兵士は銃を向ける前に全然記者を向かなかった。記者を狙って銃を向けたなら、向ける前に記者を凝視したはずである。それはなかった。記者の存在に全然気づいている様子はなかった。周囲を警戒して銃を回した時に銃を向けたと思わす瞬間の映像を記者は写真にしたとしか考えられない。

米兵は記者に銃口を向けていなかったのに向けたように見える瞬間を写真にして、兵士が記者に銃口を向けたと写真付きで琉球新報は報道した。米軍が県民を弾圧しているとイメージさせるためである。新報の報道に乗じて左翼運動家が米軍非難を拡大する。そして、左翼系のデニー知事が新報記事に同調して県民の反米軍の気持ちをさらに広げていく。このやり方は戦後ずっと続けられている沖縄紙と左翼の仕掛けである。沖縄県民が米軍を嫌うようにし、米軍を容認している自民党の支持を下げていくのだ。今度の米兵が記者に銃を向けた記事でっち上げも新報、左翼運動家、デニー知事が連携して県民に仕掛けているのである。

沖縄平和運動センター前議長の山城博治は、

「基地内で行われたのは、市民運動をテロと見なして鎮圧する訓練だった。あの銃口は記者個人に向けられたものではなく、反戦の声を上げる県民全体に向けられた」と話した。苦笑してしまう。沖縄の反戦運動は武器を持たないしゲバ棒などでの暴力行為もない。辺野古に集まる反戦運動家たちは老人が多い。反戦の声も弱くなった。沖縄の市民運動を米軍が鎮圧する必要は全然ない。それに取り締まりは県警がやる。米軍が関わることはない。関わる気もない。山城氏は反戦運動のリーダーだったから米軍も恐れていると思いたいだろうが、米軍は全然恐れていない。山城氏の妄想である。米軍は沖縄の反戦運動には関心がない。

4月13日

政府も米軍も辺野古移設を急いでいない　辺野古移設反対派は無駄なことをしている

自民党政府が普天間飛行場を辺野古に移設する目的は普天間飛行場の危険性を除去するのが目的ではない。政府の目的は米軍基地撤去運動を鎮めることにある。普天間飛行場が固定したままでも基地撤去運動が激しくならないのであれば、政府はそのまま固定している。固定したら基地撤去が激しくなるから移設しようとしているのだ。

１９９５年9月に米海兵隊員による少女暴行事件が起きた。その事件をきっかけに県民の米軍基地撤去運動が高まっていった。沖縄県民総決起大会が開催され、8万5千人が参加した。反米軍基地運動の盛り上がりに大田昌秀知事（当時）は米軍用地強制使用手続きの公告・縦覧の代理署名を拒否することを決断した。沖縄の基地負担軽減を求める機運は復帰運動以来の高まりをみせたのである。政府は困った。

この動きを鎮める方法として橋本龍太郎首相が考え出したのが普天間飛行場を撤去して県内の安全な場所に移設することであった。これで基地縮小のイメージが作れる。普天間移設を発表すると基地反対運動の激しさおさまった。橋本首相は移設案を米国に提案した。米国は渋った。しかし、橋本首相の粘り強い交渉で米国は承諾した。

橋本首相は米軍普天間飛行場を「向こう5年から7年にかけて」全面返還をすることで米国と合意したことを県民に明らかにした。橋本首相の目的は普天間飛行場の撤去が目的ではなく米軍基地反対運動を鎮めるのが目的であった。橋本首相の狙い通り反対運動は鎮まった。大田知事も代理署名をやった。政府の目的は反対運動が激しくならないことである。そのための辺野古移設である。

普天間飛行場の撤去は6、7年の予定であったのに橋本首相の発言から27年も経っている。しかし、移設は実現していない。それどころか新たに見つかった軟弱地盤のために１０年近く移設は延びることになった。移設予定が伸びたから政府にあせりがあると予想するだろうが、政府にあせりは全然ない。基地撤去運動を鎮める政府の本当の目的は狙い通り進んでいるからだ。普天間飛行場の機能を維持するためには移設しない方がいい。移設すれば機能が落ちる。米軍としては海兵隊の飛行場として使用するのには今のままでいいのだ。だから、移設を急いではいない。

辺野古移設の案が出る前は普天間飛行場撤去を主張する運動は激しかった。しかし、辺野古移設が決まると次第に普天間飛行場撤去の声は小さくなっていった。基地反対運動家たちのジレンマがあったからだ。

普天間飛行場の辺野古移設は政府、県知事、名護市長の合意で決まった。基地反対派は県外か国外に移設するのを要求していた。しかし、辺野古移設に決まった。普天間撤去運動を率先した米軍基地反対派は辺野古移設に反対である。だから、移設先のキャンプ・シュワブで辺野古基地建設反対運動を展開している。

撤去を主張すればするほど辺野古移設に賛成しなくてはならなくなる。でも基地撤去派は辺野古移設に反対している。基地反対派は県外撤去を目的にしている。しかし、普天間飛行場撤去は辺野古移設と重なるところがある。だから、普天間飛行場撤去運動はしづらくなっていった。普天間飛行場県外撤去・辺野古移設反対派はキャンプ・シュワブでの移設反対運動に集中するようになった。普天間飛行場撤去運動はしなくなっている。

普天間飛行場（沖縄県宜野湾市）の返還に日米が合意して27年となった12日に、宜野湾市の松川正則市長は県庁で玉城デニー知事と面談し、普天間飛行場の1日も早い閉鎖・返還と速やかな運用停止に向けた協力を求めた。航空機の飛行による騒音などに対する苦情が年間300件を超えており「悲鳴に近いものがある」と強い懸念を示した。

デニー知事は普天飛行場の辺野古移設に反対である。政府の埋め立て工事を阻止するために軟弱地盤の改良に伴う埋め立ての設計変更をデニー知事は許可しないで裁判で争っている。埋め立て予定地のサンゴを保護するための移植申請も許可しないで裁判で争っている。デニー知事は辺野古移設反対に徹しているのだ。

松川市長の要求をデニー知事が受け入れるはずがない。普天間飛行場の返還手法を巡っては、辺野古移設を容認する松川市長と、辺野古移設に反対する玉城知事で立場の違いが改めて表れた。松川市長の要求をデニー知事は断ったのである。


辺野古移設反対のデニー知事は普天間飛行場固定派である。デニー知事だけでなく全ての辺野古移設反対派は普天間飛行場固定派である。県外移設はできない。海外移設は日米政府が反対である。だから、辺野古移設ができなければ普天間飛行場は固定化するのだ。それを知りながら辺野古移設反対をするのだから歴然とした普天間固定派である。

デニー知事は県外移設を目指して本土を調査したことは一度もない。県外移設は不可能であると認識しているからだ。国外移設で米政府と交渉する予定はない。辺野古移設ができなければ普天間飛行場は固定化することをデニー知事は容認しているのだ。

辺野古移設について賛否に分かれる松川市長とデニー知事は、国、県、同市で構成する「普天間飛行場負担軽減推進会議」の早期開催を国に求めることでは一致した。松川市長も辺野古移設を急いでいないようである。

キャンプ・シュワブで座り込み運動をしているリーダーたちは土砂トラックがシュワブに運び入れるのを阻止したから、工事は2、3年遅れていると自慢している。普天間飛行場移設を先延ばしにしているのを自慢しているようなものである。彼らは政府の移設計画を遅らせていることを自慢しているが、政府は辺野古移設を全然急いでいない。遅れても平気である。彼らが辺野古移設反対に集中して米軍基地撤去運動が過激でなくなったことを歓迎しているのが政府である。政府の魂胆に載せられているのがキャンプ・シュワブの移設反対派である。

軟弱基盤が見つかったことで政府は埋め立て設計の変更を計画し、県は埋め立てを阻止する目的で政府の設計変更申請を承認していない。政府と県が軟弱地盤の埋め立てで争っている。

松川市長が辺野古移設を早く実現したいのなら軟弱地盤埋め立て以外の方法を模索するべきである。模索しているようではない。松川市長も移設を急いでいないということか。

米軍は辺野古に移設するより普天間飛行場の固定

化を望んでいる。普天間飛行場は高い所にあり塩害がないからだ。日米政府が決めたことだから仕方なく従っているのが米軍である。

辺野古移設は日米政府、米軍も急いでいない。何十年かかろうと辺野古移設が米軍基地撤去運動を大人しくさせていればいいのだ。デニー知事、移設反対派も政府の狙い通り反対運動を継続していくだけである。大人しい基地撤去運動をやりながら。

辺野古移設賛成派も反対派も普天間飛行場の固定化を黙認しているのである。

琉球新報は
「県民の分断も省みない政府の手法には依然として反対の世論は高い。シュワブ沖では軟弱地盤の問題が明るみに出るなどしており、普天間飛行場の返還は見通せない状況だ」

と述べている。その通りであるが、辺野古移設の長期化による普天間飛行場の固定化では県民を分断していないようである。普天間飛行場の返還が見通せない間は米軍基地撤去運動は穏やかであるだろう。

1月29日

「オール沖縄」はすでに破綻している

10年前の1月27日に沖縄の41市町村長と議会議長が参加したデモが東京であった。このことを琉球新報と沖縄タイムスは報道した。
琉球新報
「オール沖縄につながる建白書から10年　地元の民意、無視する形変わらず　辺野古断念の署名も呼びかけ」「『日本から出て行け』沖縄からの要請団に10年前、銀座の沿道から投げられた言葉　今の空気は」
沖縄タイムス
「再び銀座を行進、沖縄の過重な基地負担を訴え　保革を超えた上京行動から10年」「沖縄知事が辺野古埋め立て承認、普天間合意から17年」
の記事を掲載した。
10年前の東京デモはオスプレイの普天間飛行場配備に反対、米軍普天間飛行場の県内移設断念を求めるものであった。東京デモの後に翁長那覇市長を中心とした保守と共産党・社大党・社民党の左翼系が合流してオール沖縄を結成した。

琉球新報は、デモ隊に対して「売国奴」「日本から出て行け」と沿道から憎しみに満ちた言葉が飛んだことを取り上げている。そのことはデモ隊に大きなショックを与えたが、それよりもショックであったのは沿道の無関心さであったという。このことを新報は次のように書いている。

「先頭を歩いた那覇市長（当時）の翁長雄志さん（享年67）は、帰沖後、妻の樹子さんに「汚い言葉より沿道の無関心さがショックだった」と打ち明けた。後に市議会で当時の心境を問われ「（多くの国民は）何事も起きていないかのように目と耳をふさぎ、思考停止状態に陥っている」と振り返った・・・・。

新報は10年前の無関心よりも今の方が無関心がひどくなっていると指摘している。

あれから10年。当時の参列者は国内世論が「さらにひどくなった」と感じる。ロシアのウクライナ侵攻、強調される台湾有事。自衛隊強化も進み、沖縄の負担は増すばかり。インターネット上にはあの時と同じ沖縄憎悪の言葉が並ぶ。もっと多くの無関心が潜む」

と新報は述べている。政府は聞く耳を持たず、裁判所は政府よりの判決を出した。本土の無関心との戦いは今も続いていると指摘している。

東京デモは2013年である。私はデモの一年前の2012年に「沖縄に内なる民主主義はあるか」を出版した。その本に「普天間飛行場の移設は辺野古しかない」を掲載した。

2005年に稲嶺恵一元知事は小泉首相に米軍普天間飛行場（宜野湾市）の名護市辺野古崎への移設案は「容認できない」と述べ、県外移転を求めた。小泉首相は稲嶺知事の要求に応じて県外移設地先を探した。

私は県外移設ができないことを知っていた。普天間飛行場を移設する原因は1995年（平成7年）に米兵たちが少女暴行したからである。

米兵は殺人訓練を受けている。米兵は殺人、婦女暴行をやるという噂が全国的に広まった。だから、普天間飛行場を受け入れる自治体は存在しないと思っていた。それに移設するには普天間飛行場に加えて兵士の家族が住む住宅と娯楽施設が必要である。普天間飛行場の2倍の敷地が必要である。そんな場所を探すのは困難である。

普天間飛行場は海兵隊基地である。戦場に真っ先に駆け付けるのが海兵隊である。だから、国外のグアムなどに移設することはできない。

普天間飛行場の県外移設、国外移設は不可能であることを知っていた。このことを「沖縄に内なる民主主義はあるか」に書いた。

２０１３年に辺野古移設に関することで起こったことはオール沖縄の東京デモだけではない。仲井真知事が辺野古埋め立てを合意したのも同じ年の２０１３年である。仲井真知事が辺野古埋め立てに合意する前に私は普天間飛行場の移設は辺野古しかないことを指摘していた。理由は県外移設、国外移設が不可能であるからだ。「沖縄に・・・」で不可能であることを説明した上で辺野古移設しかないと指摘したのである。仲井真知事は私の予測通りに辺野古埋め立てに合意した。

東京デモの１０年後に「止めよう！　辺野古埋め立て」国会包囲実行委員会は１０年前と同じ会場で集会を開いた。当時は４１市町村の首長や議会などが結束した集会であったが、今回は主催者発表で約８００人参加の小さい集会だった。市町村長は参加していない。沖縄でも集会があった。参加したのは主催者発表で５００人だった。１０年前とは違って小さい集会になった。１０年の歳月が辺野古移設反対のオール沖縄を衰退させていったのである。

県庁前の県民広場で開いたオール沖縄会議主催「民意実現を求める沖縄県民集会」で１０年前の４１市町村の首長や議員などが結束して安倍晋三首相（当時）に提出した『建白書』は「過去のものではない」と主張した。いやいや過去のものである。

オスプレイは普天間飛行場に配備された。今ではオスプレイ撤去の声は聞こえなくなった。辺野古の移設工事は着々と進んでいる。「建白書」はすでに過去のものとなっている。破綻した１０年前の建白書にしがみついているのがオール沖縄である。

タイムス、新報は１０年前の建白書提出を報道しているが同じ年に仲井真知事は辺野古埋め立てを政府と合意している。知事は県民の選挙で選ばれているし県民の代表である。県民の代表が政府と辺野古埋め立てを合意したのである。建白書提出よりも埋め立て合意の方が政治としては重い。ところがタイムス、新報は建白書提出だけを報道して、埋め立て合意は報道していない。

２０１３年には県知事、名護市、宜野湾市が辺野古移設に合意していたのである。３者の合意があったから辺野古移設工事は進んでいる。

オール沖縄から保守は離脱し左翼だけになった。辺野古移設反対のオール沖縄は衰退しているのが沖縄の現実である。

２００６年(平成１１年)に政府と島袋市長は辺野古移設に合意した。合意した理由を述べたＰＤＦである。

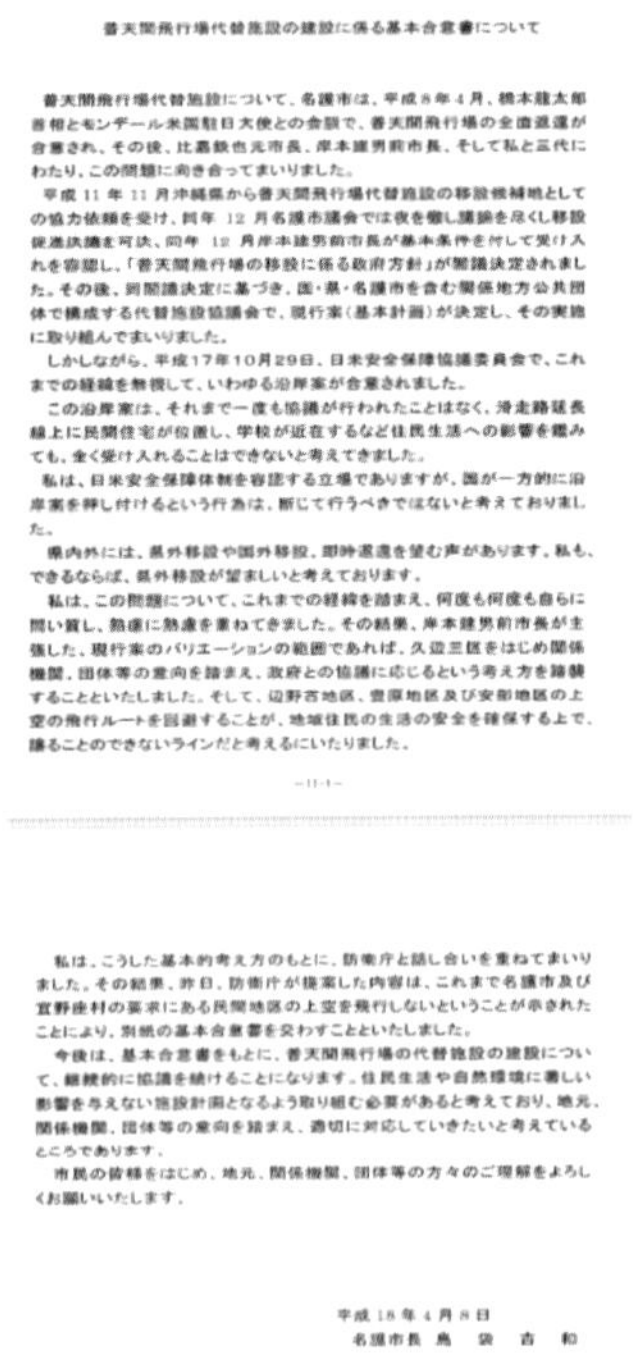

普天間飛行場代替施設の建設に係る基本合意書について

普天間飛行場代替施設について、名護市は、平成８年４月、橋本龍太郎首相とモンデール米国駐日大使との会談で、普天間飛行場の全面返還が合意され、その後、比嘉鉄也元市長、岸本建男前市長、そして私と三代にわたり、この問題に向き合ってまいりました。

平成 11 年 11 月沖縄県から普天間飛行場代替施設の移設候補地としての協力依頼を受け、同年 12 月名護市議会では夜を徹し議論を尽くし移設促進決議を可決、同年 12 月岸本建男前市長が基本条件を付して受け入れを容認し、「普天間飛行場の移設に係る政府方針」が閣議決定されました。その後、同閣議決定に基づき、国・県・名護市を含む関係地方公共団体で構成する代替施設協議会で、現行案（基本計画）が決定し、その実施に取り組んでまいりました。

しかしながら、平成17年10月29日、日米安全保障協議委員会で、これまでの経緯を無視して、いわゆる沿岸案が合意されました。

この沿岸案は、それまで一度も協議が行われたことはなく、滑走路延長線上に民間住宅が位置し、学校が近在するなど住民生活への影響を鑑みても、全く受け入れることはできないと考えてきました。

私は、日米安全保障体制を容認する立場でありますが、国が一方的に沿岸案を押し付けるという行為は、断じて行うべきではないと考えておりました。

県内外には、県外移設や国外移設、即時返還を望む声があります。私も、できるならば、県外移設が望ましいと考えております。

私は、この問題について、これまでの経緯を踏まえ、何度も何度も自らに問い質し、熟慮に熟慮を重ねてきました。その結果、岸本建男前市長が主張した、現行案のバリエーションの範囲であれば、久辺三区をはじめ関係機関、団体等の意向を踏まえ、政府との協議に応じるという考え方を踏襲することといたしました。そして、辺野古地区、豊原地区及び安部地区の上空の飛行ルートを回避することが、地域住民の生活の安全を確保する上で、譲ることのできないラインだと考えるにいたりました。

—11-1—

私は、こうした基本的考え方のもとに、防衛庁と話し合いを重ねてまいりました。その結果、昨日、防衛庁が提案した内容は、これまで名護市及び宜野座村の要求にある民間地区の上空を飛行しないということが示されたことにより、別紙の基本合意書を交わすことといたしました。

今後は、基本合意書をもとに、普天間飛行場の代替施設の建設について、継続的に協議を続けることになります。住民生活や自然環境に著しい影響を与えない施設計画となるよう取り組む必要があると考えており、地元、関係機関、団体等の意向を踏まえ、適切に対応していきたいと考えているところであります。

市民の皆様をはじめ、地元、関係機関、団体等の方々のご理解をよろしくお願いいたします。

平成 18 年 4 月 8 日
名護市長　島　袋　吉　和

普天間飛行場代替移設に係る基本合意書について

普天間飛行場代替施設について、名護市は、平成８年４月、橋本龍太郎首相とモンデール米国駐日大使館との会談で、普天間飛行場の全面返還が合意され、その後、比嘉鉄也元市長、岸本建男前市長、そして私と三代にわたり、この問題に向き合ってまいりました。

平成１１年１１月沖縄県から普天間飛行場代替施設の移設候補地としての協力依頼を受け、同年１２月岸本建男市長が基本条件を付して受け入れを容認し、「普天間飛行場の移設に係る政府方針」が閣議決定されました。その後、同閣議決定に基づき、国・県・名護市を含む関係地方団体で構成する代替施設協議会で、原稿案が合意されました。

この沿岸案は、それまで一度も協議が行われたことはなく、滑走路延長線上に民間住宅が位置し、学校が近在するなど住民生活への影響が鑑みても、全く受け入れることはできないと考えてきました。

私は、日米安全保障体制を容認する立場でありますが、国が一方的に沿岸案を押し付けるという行為は、断じて行うべきではないと考えておりました。

県内外には、県外移設や国外移設、即時返還を望む声があります。私もできるならば、県外移設が望ましいと考えております。

私はこの問題について、これまでの経緯を踏まえ、何度も自ら問い質し、熟慮に熟慮を重ねてきました。その結果、岸本建男前市長が主張した、原稿案のバリエーションの範囲であれば、久辺三区をはじめ関係機関、団体等の意向を踏まえ、政府との協議に応じるという考え方を踏襲することにいたしました。

そして、辺野古地区、豊原地区及び安倍地区の上空の飛行ルートを回避することが、地域住民の生活の安全を確保する上で、譲ることのできないラインだと考えるにいたりました。

私はこうした基本的な考え方のもとに防衛庁と話し合いを重ねてまいりました。その結果、昨日、防衛庁が提案した内容は、これまで名護市及び宜野座村の要求にある民間の上空を飛行しないということが示されたことにより、別紙の基本合意を交わすことといたしました。

今後は、基本合意書をもとに、普天間飛行場の代替施設について、継続的に協議を続けることになります。住民生活や自然環境に著しい影響を与えない施設計画となるよう取り組む必要があると考えており、地元、関係機関、団体等の移行を踏まえ、適切に対応していきたいと考えているところであります。

市民の皆様をはじめ、地元、関係機関、団体等の方々のご理解をよろしくお願いします。

平成18年4月8日

名護市長　島袋吉和

新報は昨日県庁前の県民広場で開かれた「民意実現を求める沖縄県民集会」（オール沖縄会議主催）のことを報道している。主催者発表で約500人が集まったという。集会では建白書で求めた沖縄の基地負担軽減は実現せず、南西諸島の軍備強化が急速に進む状況を批判している。オール沖縄が要求したことが実現しなかった一方で仲井真知事が合意した辺野古埋め立ては着実に進んでいる。

辺野古移設反対派の運動は敗北している に等しい

塩川デイというのがあるようだ。2月21・22日に実施された「塩川デイ」は大成功だったという。

塩川デイとは本部塩川港で辺野古に土砂を搬出するトラックの通る道路をゆっくりと横切りタンプを止める行動をすることである。塩川地区で土砂などを積んだダンプカーが1日に500~700台ほど通過するが、塩川デイの21日は206台に、22日は238台と半分以下に押さえた。半分近くにしたことを主催者は大成功といっているのだ。大成功ではなく敗北ではないのか。

辺野古移設反対派の目的は埋め立てを中止させることである。中止させるためには一台のダンプカーも通してはならない。ところが半分以上のトラックは通ったのだ。成功とは言えない。失敗である。失敗を大成功だと喜んでいる移設反対派である。

去年の11月にも塩川デイは実施したようだ。それから3カ月後の今年の2月に実施した。3カ月間も塩川デイはなかった。塩川デイがない日は毎日500〜700台のダンプが土砂を運んでいる。塩川デイは土砂移送阻止にほとんど役に立っていない。日ごろは10人に満たない人数しか集まっていない塩川の埋め立て阻止運動は破綻しているに等しい。

社民党系のキャンプ・シュワブの座り込み、本部町の塩川港の共産党系の搬出阻止運動も破綻している。破綻している根本的な原因は県民が参加しないからである。

4年前の県民投票では辺野古埋め立て反対が70%を超えていたが、埋め立てが大浦湾を汚染するという左翼の嘘に騙されていたからである。埋め立てで汚染されないことを知った県民は反対しなくなった。むしろ、宜野湾市民の騒音被害、生命危機を防ぐために辺野古移設賛成の県民は増えている。

2月27日

名護市で辺野古移設反対派たちの愚痴トーク集会

辺野古移設反対派は辺野古に建設する普天間飛行場移設のための飛行場建設を必ず『新基地建設』という。移設飛行場とは言わない。辺野古移設について知らない県民や国民に辺野古に新しい米軍基地が建設されるというイメージを与えるためだ。しかし、ごまかしの運動は県民に通用しない。辺野古移設反対運動は衰退していった。

県民投票から満4年となった24日、対話と音楽で沖縄の未来について考える「2・24音楽祭」(主催・同実行委員会)が名護市内で行われた。

辺野古移設反対派のトークに反論

辺野古でひろゆき氏と議論したジャーナリストの大袈裟太郎さんは「学者が調べて書いた本1冊よりも、1日来ただけのひろゆきさんの140文字に正しさや説得力があると思ってしまう人が世の中にはたくさんいる」と語ったという。

辺野古移設は住宅密集地のど真ん中にある普天間飛行場を住宅のない米軍基地の近くの沿岸に移設させるという県民の安全を守るという単純な理由である。学者の一冊の本を読む必要はない。左翼学者が書いた本には辺野古移設の真実なんか書いてないのだから。

それにひろゆき氏はキャンプ・シュワブの座り込み日数の看板を問題にしたのである。辺野古移設を問題にしているのではない。ひろゆき氏の意見に賛成している市民はそれぞれが自分の意見を述べている。ひろゆき氏の意見に賛同したのであってひろゆき氏に説得されてはいない。ツイートを見ればそれが分かる。

ジャーナリストなら事実を正確に把握して、客観的に話せよ。大袈裟太郎さんはジャーナリストを装った左翼運動家にしか見えない。

司会を務めたスマートフォン・アドバイザーのモバイルプリンスさんは、ひろゆき氏がパリで起きたストライキの激しさを「日本もこれぐらいやらなければ変わらないだろう」などと評していたのに辺野古の座り込みに対する評価とは正反対だと指摘して、「何となくその場その場で注目が集まることを言っている」と述べたという。

ひろゆき氏の指摘する通りである。キャンプ・シュワブの座り込みに10000人以上の市民が結集してゲートを占領し、砂利搬送のダンプを一台も搬入させない激しい闘いをしていたら辺野古埋め立てを阻止していただろう。激しい戦いに政府は辺野古飛行場建設を断念していただろう。ところが実際のシュワブの座り込みは違っている。全然激しくない。とても大人しく、闘いとはいえないほどである。

一人も座り込みをしない時もある。座り込みをしたとしても少人数の老人たちである。ダンプを止めることはできない。埋め立ての砂利はどんどん運び入れている。ひろゆき氏の指摘は正しい。正しいから注目が集まるのだ。

スマートフォン氏は司会者でありながら辺野古移設反対運動のことは全然理解していないようだ。

会場となったシュアスペースｃｏｃｏｎｏｖａ館長の具志堅秀明さんは「沖縄の人たちだけが日本の安全保障を背負わされているという話をしたいだけなのに、なぜ国に反発ばかりしているという解釈が広まるのか」と問題提起した。沖縄の米軍基地について知らない問題提起である。

復帰する前から沖縄には米軍基地があった。沖縄は東アジアの扇の要の位置にある。だから、米軍基地を設置するために米国は沖縄を日本から切り離して米国が統治した。米軍基地はアジアの共産主義の拡大を阻止するために存在している。朝鮮戦争、ベトナム戦争の時には沖縄から米軍は出撃した。沖縄は日米の安全保障を背負っているのではない。復帰前からずっとアジアの安全保障を背負っている。

具志堅氏は北朝鮮が日本の近海に弾道ミサイルを去年は３０回以上発射していることを問題にしている様子がない。沖縄だけを問題にしている。本土は沖縄より北朝鮮の弾道ミサイルを気にしている。具志堅氏が北朝鮮に関心がないように本土の人々も沖縄への感心はそれほどない。「国に反発ばかりされている」と思っているのは具志堅氏の思い込みである。

デニー知事は沖縄の基地問題は全国の問題であると本土で県主催の集会を開くが数百人しか集まらない。沖縄に関心がある国民は少数である。辺野古移設反対運動に国民は反発していない。多くの国民は知らないのだ。沖縄では移設反対の県民は少なくなっている。

宜野湾市と名護市は移設に賛成である。具志堅氏はこの事実を無視している。移設反対が少数である名護市でトークイベントしている具志堅氏である。

元山さんは『台湾有事』では石垣や宮古、与那国、奄美にも自衛隊が配備され、戦争が起きた時の被害を予想されている。そこに住民一人一人は考えられていない」と訴えたという。

戦争が起きれば、自衛隊が居なければ中国軍の侵入を防ぐことはできない。中国軍に住民は支配され、自由を奪われ奴隷のような生活を強いられる。住民の安全を確保するために自衛隊配備が必要である。

辺野古移設は宜野湾市民の安全を守るために普天間飛行場を辺野古に移設することである。新たに基地を新設する問題ではない。辺野古移設反対運動が衰退しているから自衛隊基地新設が辺野古移設と同じであるようにごまかして話している。辺野古移設反対運動が衰退していることの証である。

「2・24音楽祭」のトークイベントは衰退した辺野古移設反対者たちの愚痴トークになったようだ。

久辺3区の区長が辺野古移設に賛成であることを県は認めた

沖縄県議会で嘉数登知事公室長は辺野古の新基地建設で、辺野古移設で最も影響を受ける久辺3区の区長たちが辺野古基地建設に賛成していることを認めた。嘉数知事公室長は「大手をふっての賛成は1人もいない」と言ったが、区長三人は移設に賛成したのである。大出を振ろうが振るまいが政治は最終決断が重要である。県は久辺3区の区長が移設に賛成であることを認めたのである。デニー知事の辺野古移設反対は地元の移設賛成を裏切っていることを県は認めたのである。

デニー知事は県の辺野古移設反対を中央政府は無視していることを非難しているが、デニー知事は地元の久辺3区の辺野古移設容認を無視している。デニー知事は政府が沖縄県の地方自治権を無視していると主張し、政府を非難しているが久辺3区の地方自治を無視しているデニー知事に政府を非難する資格はない。

デニー知事が久辺3区を辺野古移設反対にさせるには普天間飛行場を県外移設か国外移設を実現する以外にはない。自民党政府、民主党政府でも実現できなかった県外移設、国外移設をデニー知事が実現できるはずがない。

「大手をふって賛成は1人もいない」の発言は最低である。大事なことは苦しみながらも辺野古移設を容認した久辺3区の区長への敬意である。

2月23日

石垣、与那国、竹富の主張を押し潰すデニー知事

普天間飛行場のある宜野湾市と移設先である名護市が辺野古移設に賛成しているのにデニー知事は二市の決断を無視して辺野古移設反対を主張し、移設阻止を目指している。地方自治の権利を押しつぶしているのがデニー知事である。宜野湾市と名護市の民意を尊重するなら辺野古移設を容認するべきである。しかし、デニー知事は移設阻止の行動に徹している。

辺野古移設問題と同じことが南西諸島でも起こっている。

沖縄県の南にある石垣市、与那国町、竹富町は台湾に近い。3市町は台湾有事になれば中国軍に攻撃されるかもしれないと恐怖している。

政府は台湾有事を念頭において南西諸島の防衛体制を強化するため自衛隊を配備し、与那国島（沖縄県与那国町）の陸上自衛隊与那国駐屯地を拡張し、地対空誘導弾（ミサイル）部隊を配備する方針である。与那国島は台湾から約110キロと近く、台湾への軍事的圧力で地域の緊張を高めている中国を念頭に置いた政府の対応だ。三市町は政府の防衛強化に賛成である。ところがデニー知事は反対している。デニー知事は、3文書に盛り込まれた反撃能力（敵基地攻撃能力）としての長距離ミサイルの沖縄配備について「憲法の精神とは違う、明確に反対する」と述べた。反対する理由は「かえって地域の緊張を高め、不測の事態が生じる懸念を持っている。沖縄が攻撃目標とされる」と防衛強化は沖縄が攻撃されるとデニー知事は述べている。

共産党の志位委員長は、辺野古に新基地を設立すれば有事の時にミサイル攻撃されると述べて普天間飛行場移設の辺野古基地建設に反対した。そして、沖縄に自衛隊基地、ミサイル基地を建設すればミサイル攻撃されて沖縄が戦場になると主張している。デニー知事は共産党の主張と同じである。共産党、社民党が主導権を握っているオール沖縄のいいなりのデニー知事である。

政府と三市町が合意しているミサイル配備をデニー知事は阻止することはできない。政府と三市町は話し合い、着実にミサイル配備を実現していくだろ

う。

辺野古移設反対、ミサイル基地建設反対と政府と地元自治体の合意を無視して反対し続けるデニー知事は県知事というより左翼活動家である。

沖縄県は8日、東京都内で、日本の安全保障政策や沖縄の基地負担について議論するシンポジウム「デニー知事と考える沖縄と日本の安全保障」を開いた。シンポジウムは安全保障反対一辺倒である。県知事は沖縄県民ではなく東京都民に演説している。県民の税金が都民への演説のために使われるのはおかしい。県税は県民のために使うべきである。ところがデニー知事は県税を都民への左翼運動に使ったのである。

東京都でシンポジウムを開くより三市町長と話し合うのが知事がやらなければならないことである。県内の自治体首長との対話、相談をしないで都民に演説するなんて最低な知事である。左翼活動家以外のなにものでもない。

石垣市の自衛隊駐屯地設立は中国の尖閣侵略、台湾侵略を防ぐのが目的

中国が領土と主張している尖閣で中国漁船は漁をしていた。海上保安庁は違法操業として取り締まった。

２０１０年9月7日、尖閣諸島付近の海域をパトロールしていた巡視船「みずき」が、中国籍の不審船を発見し日本領海からの退去を命じたが、それを無視して漁船は違法操業を続行、逃走時に巡視船「よなくに」と「みずき」に衝突し2隻を破損させた。海上保安庁は同漁船の船長を公務執行妨害で逮捕し、取り調べのため石垣島へ連行し、船長を除く船員も同漁船で石垣港へ回航、事情聴取を行った。９日に船長は那覇地方検察庁石垣支部に送検された。

中国政府は「尖閣諸島は中国固有の領土」の主張を根拠に、北京駐在の丹羽宇一郎大使を呼び出し、日本側の主権に基づく司法措置に強硬に抗議し、船長、船員の即時釈放を要求した。これを受けて１３日に日本政府は船長以外の船員を中国に帰国させ、中国漁船も中国側に返還したが、船長に関しては国

内法に基づいて起訴する司法手続きの方針を固め、１９日に勾留延長を決定した。すると中国側は拘留延長に強く反発し即座に日本に対して様々な報復措置を実施した。

那覇地方検察庁鈴木亨次席検事が船長の行為に計画性が認められないとし、また日中関係を考慮したとして、中国人船長を処分保留で釈放すると突如発表。本決定を仙谷由人官房長官は容認。２５日未明、中国側が用意したチャーター機で、中国人船長は石垣空港から中国へと送還された。民主党政権の時である。

香港活動家尖閣諸島上陸事件

２０１２年8月１５日、香港、マカオ、大陸の団体「保釣行動委員会」の活動家らが乗船している抗議船が日本の領海内に侵入し、活動家ら7人が魚釣島に上陸した。これに対して、抗議船の来島の情報をつかんでいた海上保安庁と警察は事前に魚釣島に人員を配備、沖縄県警察は午後5時５４分、出入国管理及び難民認定法（入管難民法）第６５条違反容疑で上陸後も島に留まり続けた活動家ら５人を現行犯逮捕し、その後は第十一管区海上保安本部により船に乗っていた者も含めて9人を不法入国で現行犯逮捕、総計１４人を逮捕した。活動家らは上陸する際に、抗議船の進路規制を行う海上保安庁の巡視船に煉瓦やコンクリート片などを投げつけていた。

身柄を引き渡された法務省福岡入国管理局那覇支局により１４人全員の強制送還手続きがとられ、１7日に乗ってきた石垣島停泊中の抗議船と那覇空港からのチャーター機により香港に強制送還された。民主党政権の時である。

漁船や民間人の尖閣上陸は日本の警察、保安庁に逮捕される。漁船などが尖閣侵入を繰り返せば日本は逮捕し、裁判をして有罪判決を下すようになるだろう。それでは尖閣が日本の領土であるというイメージが世界に拡大する。中国にとって不利な展開になる。

尖閣領海に侵入しても逮捕されない方法として考えだしたのが海警局の設立であった。海警局は海上法執行機関（沿岸警備隊）である。海上法執行機関の船は領海侵入しても逮捕してはいけないことが国際法で決まっている。

中国政府は２０１３年に武装警察部隊である海警

総隊が「中国海警局」の名義で法執行任務を実施するようになった。海警局の船は尖閣領海に侵入して、日本の漁船を追い回した。漁を妨害するのは犯罪行為である。だが、海上保安庁は海警局船を逮捕することはできない。漁船を守りながら海警局船を領海から出ていくように警告するだけだ。尖閣での漁の被害は大きいが、海警局船を排除することはできない。

中国の海警局の船が尖閣の領海内に侵入して漁船を追い回す行為が何年も続いている。海上保安本部が巡視船を配備して、漁船の安全を確保している。巡視船が居なければ海警局の船に追い回されて漁はできないだろう。中国政府の船が尖閣の領海に侵入するようになったのは２０１２年からである。

日本政府は９月１１日に尖閣諸島のうち魚釣島、北小島、南小島の三島を２０億５０００万円で購入することを閣議決定した。閣議決定に中国政府は激しく反発した。海洋監視船や漁業監視船などを領海に侵入させた。さらに翌年の２０１３年にはこれら海事関係機関を統合し海警局を発足させたのである。海警局は中国の領海を守るために設立させた部署ではない。尖閣の領有争奪を展開する目的で設立したものである。尖閣専用の部署といってもいい。

２０１８年には中国中央軍事委員会の指導を受ける人民武装警察に組織改革し、海警局船の派遣体制を強化した。尖閣諸島への領海侵入が増えていった。武器も強化している。海警局船に搭載されている砲は最大でも４０ミリ程度であったが２０２２年には２倍近くの７６ミリ砲の海警局船が現れた。海警局は武装強化をしている。武装強化しているのは尖閣は中国の領土であると主張しているからだ。

習政府は台湾を「台湾省」として本土の各省と同格の行政単位とし、「釣魚島」を台湾の一部と定めている。台湾だけでなく、南シナ海の島々や釣魚島などの尖閣諸島を中国の領土であると主張している。尖閣諸島の領有権を主張する中国は、同諸島周辺での活動を活発化させており、日中間で緊張が高まっている。

安倍政権は２０１５年に安全保障関連法案（安保法案）を成立させた。安保法案は自衛隊が米国など外国の軍隊との連携を可能にした。在外邦人救出のために国外進出や米艦防護を可能にした。そして、外国の侵略を防ぐ目的の外国への攻撃も可能にした。外国に到達できるミサイルが配置できるようになったのは安保法案が成立したからである。

閣議決定した安保関連3文書は安保法案を根拠にした閣議決定である。相手の領域内を直接攻撃する「敵基地攻撃能力」を「反撃能力」との名称で保有すると3文書に明記している。

尖閣で中国の海警局が強化されている状況で陸上自衛隊は、石垣市に駐屯地を開設し、地対艦・地対空ミサイル部隊などを配備した。沖縄本島を除く南西諸島のミサイル部隊は奄美大島と宮古島に続く配備である。

共産党を中心とした左翼系の反対運動は、「長距離ミサイルを配置すれば石垣市がミサイル攻撃され、戦場になる」と主張している。強引な屁理屈の反対運動は少人数である。

3月24日

中国の尖閣侵入が石垣市に保守市長を誕生させた

防衛省が陸上自衛隊石垣駐屯地に弾薬を運ぶと「石垣島に軍事基地をつくらせない市民連絡会」や「命と暮らしを守るオバーたちの会」などの反対派30人が抗議した。

内原英聡市議は「ミサイルは石垣市民を守るためのものではない。市民を犠牲にするような武器は石垣島にはいらない。八重山の神々も歓迎していない。必要なのは非武装と平和だ」と訴えた。共産党の井上美智子市議は「自衛隊は住民を守らない」と主張する。

共産党、左翼系が自衛隊駐屯地に反対する理由はミサイルを設置すれば有事の時に攻撃される、自衛隊は市民を守らないである。ミサイル設置は防衛力の強化であるし、自衛隊は国民を守ることを任務にしている。市民を守らないは嘘である。内原市議、井上市議は真実であるような真っ赤な嘘をついて石垣市民を騙し、駐屯地反対運動を広げようとしている。

「大戦の教訓を忘れ、逆に戦前に向かっているようでやりきれない」と言う元教員の男性も居る。９０歳を過ぎる戦争経験者である。教員でありながら戦前の軍国主義と戦後の議会制民主主義の違いを知っていない。こんな無知な人間が教員であったとは沖縄の恥である。

日本は国民主権の議会制民主主義国家である。国民の生活を豊かにし、自由、平和を求めているのが日本政府である。戦後の日本は戦前とは逆の方向に進んでいる。石垣市に自衛隊の駐屯地を設立しミサイルを設置するのは独裁国家中国から沖縄を守り日本の平和を守るためである。

自衛隊の弾薬輸送に反対して集まったのはたった３０人である。彼らは中国の領土であると主張して海警局の船が尖閣侵入を繰り返していることには目を反らしている。尖閣での中国侵入を問題にしないで石垣市、沖縄を守るための駐屯地設立には反対している。中国から石垣市を守ろうとしない彼らを石垣市民は支持していない。支持していれば数百人は集まっていただろう。３０人くらいしか集まらなかったのは石垣市民が彼らを支持していないからである。なぜか、彼らは石垣市の安全を守る気がないからである。

２０１０年の石垣市長選では新人で保守系の中山義隆氏が５０００票以上の大差で現職の大浜長照氏に勝利した。大浜氏は４期市長を務めた。３期、４期の市長選では大差で勝利していた。石垣市民に圧倒的に支持されていた大浜氏であったが新人の中山氏に大差で敗北したのである。敗北した原因に中国の尖閣侵入があった。

石垣市は左翼の革新が強かった。大浜候補の推薦は共産党、社民、民主、社大等の革新＝左翼であった。強いはずの大浜候補が新人の中山候補に大差で負けたのである。考えられないことである。マスコミは４期１６年の長期間を敗北の原因にしたが、私は尖閣の中国侵入が原因だと考えている。中山氏が当選した瞬間にそう思った。

中国は尖閣は中国の領土であると主張するように

なり、主張が次第に強くなっていき、尖閣諸島に中国の民間人が上陸するようになったのだ。

２００６年１０月２２日、香港の船上でスローガンを叫び、中国の国旗を振る活動家たち。横断幕には「日本は釣魚島から出て行け」と書かれている。

中国は尖閣は中国の領土あると日本、世界に主張したのである。

２００８年１２月に中国国家海洋局に所属する船舶が２隻、突如として尖閣諸島周辺の日本の領海に侵入した。日本政府は、海上保安庁巡視船からの退去要求及び外交ルートによる抗議を通じて対処した。これは中国が法令上のみならず、「力」によって尖閣諸島の現状に挑戦し始めたことを示していた。

尖閣は中国の領土であると主張する中国政府の主張と行動は尖閣で戦争が起こるかもしれないと思わせるほどであった。日本政府も尖閣諸島の中国の主張に対応した。日米安全保障条約第５条が適用されることを米国と再確認し、中国への警戒の一環として、自衛隊と米軍による共同演習を実施する方向で一致した。

中国の尖閣侵入は石垣市民を不安にした。

そのような状況の２０１０年に石垣市長選が行われた。左翼が強かった石垣市であったが保守中山氏が大勝した。大勝した原因は中国の尖閣侵入以外には考えられない。中国が左翼の勢力を弱体化したのである。

対話と外交で中国と平和を構築できないことは尖閣ではっきりしている。

宮古島市議会は、下地島空港・宮古空港の恒常的な軍事利用禁止を求める意見書案と住民への説明なしに宮古島に長射程ミサイルを配備しないよう求める意見書案をそれぞれ反対多数で否決した。市議会は下地島空港・宮古空港の恒常的な軍事利用、長射程ミサイル配備に賛成である。宮古島市も中国には対話、外交は通用しないことを知っている。

石垣市、宮古島市、与那国町は自衛隊基地、ミサイル配備で南西諸島を守る必要を知っている。知っていないのがデニー知事であり、左翼与党である。与党会派は安全保障関連3文書の閣議決定など、対中国を念頭にした南西諸島での防衛力強化に反対し、対話と外交による平和構築を政府に求める意見書を提案する方針である。与党側は全会一致を目指している。県議会の保守は左翼与党に飲み込まれるのか、反撃するのか・・・・。保守議員に石垣市、宮古島市、与那国町と同じ考えになれるか。左翼の嘘の理論にはめられてしまうか。

3月25日

保守野党は左翼与党の意見書を打破せよ

県議会与党会派は安全保障関連3文書の閣議決定に反対し、南西諸島での防衛力強化にも反対している。

与党会派は沖縄を再び戦場にすることがないよう主張し、ミサイル配備の即時中止や、日中両国で確認した諸原則を順守することや、沖縄を平和の発信拠点として「外交・対話による平和の構築に積極的な役割を果たすこと」などを求めた意見書を政府に提案する方針である。与党が多数であるから賛成多数で可決される見通しである。与党としては野党も賛成させて全会一致を目指して文言調整を進めている。

デニー知事は知事選の時に、石垣島や宮古島など南西諸島での自衛隊配備について、「地域住民の合意を顧みず、地域に分断を持ち込む自衛隊の強行配備に反対」と政策に明記している。デニー知事とオール沖縄与党は南西諸島の自衛隊配備。ミサイル設置には反対であった。

辺野古移設で宜野湾市と名護市は容認しているのを無視して県民は移設に反対であると主張し続けたのがデニー知事である。今度は石垣市、宮古島市、与那国町の三市町が自衛隊基地配備、ミサイル設置に賛成していることを無視してデニー知事、与党は反対している。地方自治体の主張を無視しているのがデニー知事、与党である。

自民党は三市町の側に立って与党提案を破綻させれるか。辺野古移設では左翼に飲み込まれて移設容認を主張しなかった。だから、県民投票で7割以上が辺野古埋め立てに反対した。それは自民党が左翼の主張に飲み込まれて、容認を主張しなかったからである。

中国に一番近く、尖閣での中国の海警局船侵入に不安を持つ3市町に自民党・保守は味方して、与党の提案を跳ね返し廃案にするべきである。今の沖縄はデニー知事と左翼与党の独裁状態である。それを許しているのが自民党だ。県議会の自民党は石垣市、宮古島市、与那国町のように左翼の主張を堂々と跳ね返してほしいものだ。

デニー知事こそが中国に行き、外交・対話の道を切り開くべき

デニー知事は中国に行き、中国との外交・対話の道を切り開くべきである。

デニー知事は米軍基地の沖縄集中、自衛隊の基地機能強化は沖縄が攻撃目標になるリスクをさらに高くなると指摘している。沖縄を平和にするには基地強化ではなく。外交・対話によって平和的な緊張緩和と信頼が醸成すると主張している。政府の基地強化批判し外交・対話を主張しているデニー知事である。デニー知事は平和構築に貢献する独自の地域外交を展開するために知事公室内に地域外交室を設ける。

沖縄県は中国公船が尖閣諸島の領海に違法侵入を繰り返している。戦争に発展する危機が尖閣にはある。デニー知事はすぐに中国に行くべきである。中国に行き外交・対話によって尖閣の緊張を緩和し中国と日本が平和と信頼を回復させるべきである。

デニー知事よ。基地強化を否定し、外交・対話で

平和になれると主張するのなら、デニー知事が実行して証明しなければならない。政府に要求するだけでは駄目だ。デニー知事が実行するべきだ。デニー知事は一日も早く中国へ行かなければならい。

玉城デニー知事は平和交流で中国船が尖閣領海への侵入を阻止するべき

玉城知事は新年度から県庁に地域外交室を設置し、アジアの緊張緩和に向けた県独自の外交に乗り出す構えである。最初の外交が中国である。照屋義実副知事は東京の中国大使館に呉江浩中国大使を訪れ、玉城デニー知事が訪中を希望していると伝えた。日中の平和交流に向け、沖縄が貢献する意向も強調した。県交流推進課が同日発表した。

中国と沖縄で一番問題になっているのが中国の武装した海警局船が尖閣の領海に侵入して、漁船を追いまわすことだ。石垣市の漁師は安心して漁ができない。深刻な被害だ。沖縄県の深刻な問題である。

南西諸島にミサイルを設置すれば攻撃されるという理由で設置に反対しているデニー知事である。攻撃できるのはミサイルだけではない。軍艦と同じように武器装備している海警局船も攻撃することができる。海警局船の尖閣領海侵入は南西諸島の危機でもあるのだ。

デニー知事は地域外交室を設置した。訪中して日中の平和交流に貢献すると宣言している。中国との話し合いで尖閣の領海侵入を解決するならばそれこと対話外交の成果である。

デニー知事が中国との対話外交で最初にやるべきことは尖閣の領海問題である。徹底した対話で尖閣侵入を阻止するべき。それこそが有言実行である。

糸数与那国町長　玉城デニー知事は米国よりも北京に行き、中国に抗議を

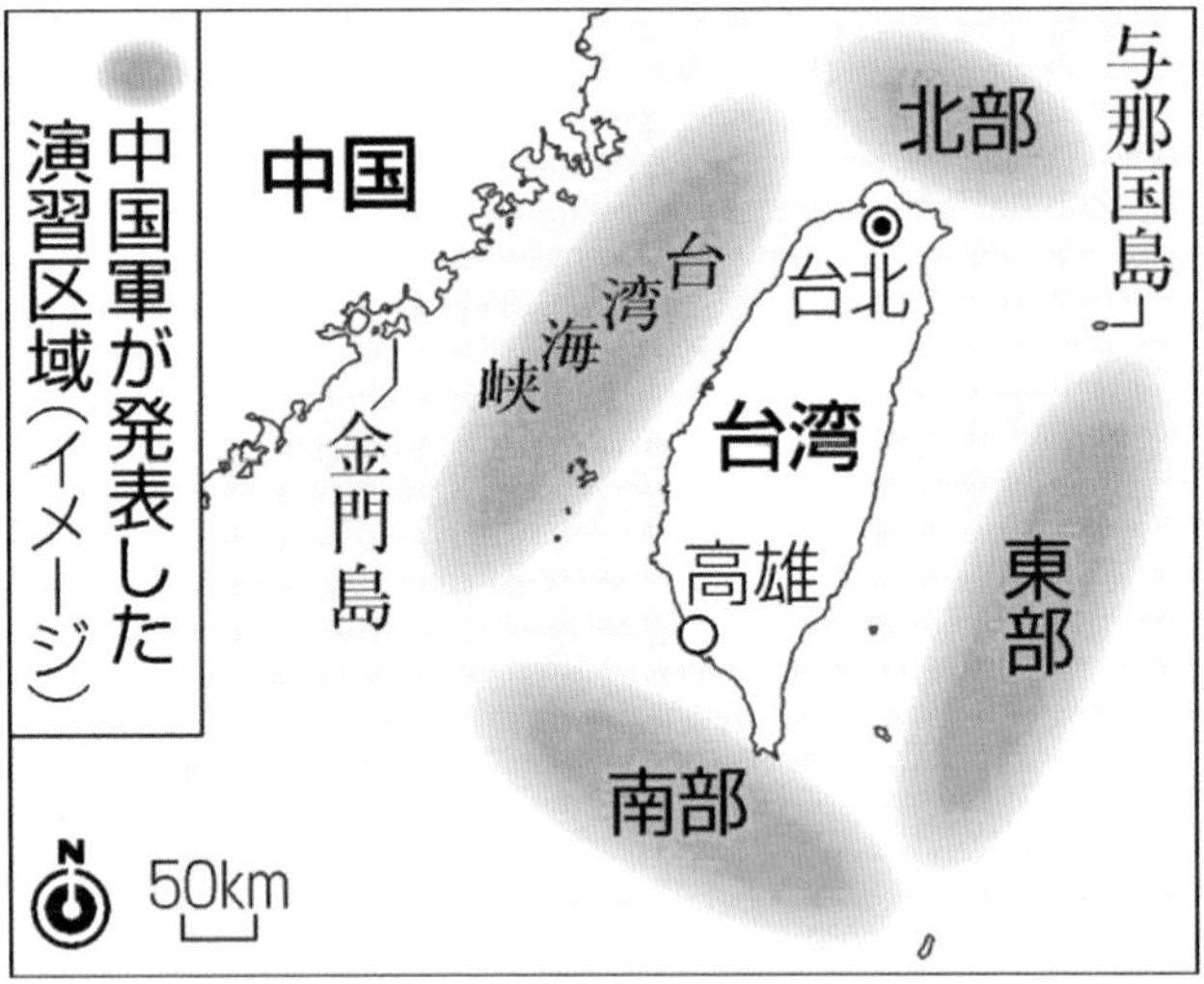

中国軍は台湾海峡や台湾島の北部、南部、東部の海空域で8~10日の3日間に戦闘準備の警戒パトロールと軍事演習をする。演習の北部と東部の間に与那国島がある。

中国は去年の夏も台湾周辺で軍事訓練をした。中国軍は日本の排他的経済水域（ＥＥＺ）を含む海域にミサイルを撃ち込み、与那国島周辺でも着弾が確認された。

与那国島は演習区域に挟まれている。もし、戦争になれば与那国島が巻き込まれるのは確実である。

与那国町民の不安は高まっている。軍事演習で与那国町民の緊張を煽り立てる中国の行為に町民の憤りの声が上がっている。

糸数健一町長は軍事演習に「断固として反対する。やめてくれと言いたい」と訴えている。中国がどんどん緊張をエスカレートさせていることに糸数町長は不快感をあらわにした。

与那国町は沖縄県である。与那国町の危機問題は沖縄県の危機問題である。糸数町長は

「我々のような小さな自治体ではなかなか(中国に)声が届かない」

と述べ、デニー知事が北京に行き抗議してほしいと訴えた。

沖縄を平和にするには基地強化ではなく。外交・対話によって平和的な緊張緩和と信頼を築くことであるとデニー知事は主張している。政府の基地強化を批判し外交・対話を主張しているデニー知事である。デニー知事は新年度から県庁に地域外交室を設置し、アジアの緊張緩和に向けた県独自の外交に乗り出す構えである。最初の外交に予定しているのが中国である。

沖縄の平和、台湾の平和を守るために対話で中国が台湾への軍事演習をしないように交渉するべきであるとデニー知事は主張している。デニー知事が主張する外交・対話を実行する時が今である。

デニー知事は米国に行ったが米国より中国に行くべきであると糸数町長は述べている。中国は尖閣に侵入し、昨年は軍事演習で与那国町の近海にミサイルを撃ち込んだ。沖縄県に直接被害を与えているのは中国である。米国ではない。糸数町長の主張する通り、自衛隊基地建設に反対し、外交・対話を主張するデニー知事は中国との対話を深め、沖縄の危険をなくすべきである。もし、中国との対話を避けるならデニー知事は外交・対話は自衛隊基地建設反対をするための口実でしかないということになる。

デニー知事は南西諸島の自衛隊基地建設には声を大にして反対するが尖閣領海への中国船の侵入、中国の軍事演習による与那国島の危機については沈黙している。中国との対話でも沈黙する可能性がある。

自民党政府の自衛隊基地建設には反対して、中国の尖閣侵入、与那国の危機には目を背けているのがデニー知事である。

4月15日

デニー知事は　尖閣の平和の実現を目指し中国と対話外交を

デニー知事は沖縄を平和にするには基地強化ではなく外交・対話によって平和的な緊張緩和と信頼を築くことであると主張して、県庁に地域外交室を設置し、アジアの緊張緩和に向けた県独自の外交に乗り出そうとしているのがデニー知事である。最初の対話外交に予定しているのが中国である。照屋義実副知事が、呉江浩駐日大使と面会し、中国行きのあしがかりをつくった。

デニー知事が中国に行くのは沖縄の平和を守るための対話外交するのが目的である。尖閣の領海には中国の武装した海警局船が侵入し、尖閣で漁をすることができない。デニー知事が対話外交で解決しなくてはならない問題である。

中国軍は台湾侵攻の軍事演習をした。中国軍は尖閣に最接近した。尖閣は中国の領土であると中国は主張している。中国軍が尖閣を襲撃する可能性は否定することはできない。

デニー知事が中国との対話外交で最初にするべきは、中国船の尖閣領海侵入を止めさせて、尖閣の平和を守ることである。

玉城知事は昨年12月、「沖縄から地域の緊張緩和への貢献を図っていく」と述べ、デニー知事や副知事が中国や台湾、韓国などへ訪問し、緊張緩和の関係構築を継続したいと話した。対話外交で沖縄の平和を守るのがデニー知事の方針である。

7月に日本国際貿易促進協会（国貿促）が中国に行く。県に案内が来ている。国貿促の訪中団に参加する場合は、「主に経済復興を見据えた経済や文化交流の再開と発展などを」提案するという。デニー知事は「念頭に、今後内容を詰めていきたい」と話した。中国との対話外交の重要な課題は経済振興よりも沖縄の平和である。その中でも緊急な問題は尖閣の平和である。デニー知事が自分の方針を貫くには国貿促に同行するのではなく単独で中国に行き中国首脳と対話外交をすることである。

デニー知事が沖縄の平和を守るために中国と対話外交をやることを疑わなければならないことが起こった。ファーウェイ・ジャパン（東京都千代田区）の侯涛（ホウタオ）社長と照屋義実副知事が秘密会談をしたことである

トランプ前米政権の時に、ファーウェイは中国政府と通じていて、米国の安全保障を脅かしていることが判明した企業である。米政権は半導体をはじめとする米国の技術を使った5G関連製品のファーウェイへの輸出規制に踏み切った。バイデン米政権になるとファーウェイに対する輸出規制はますます厳しくなり、すでに禁じている半導体などに加えて全面的に米技術・製品の輸出を取りやめる措置をした。

米政府が最も警戒し、取引を止めている中国企業がファーウェイである。

米政府が最も危険な企業と見ているファーウェイと県幹部、副知事は秘密会談をしたのである。秘密会談は公開すれば県民が反対するような内容であったからだろう。県が中国企業との会談を公開しなかったのはおかしい。県民のためにはならないことが話し合われた可能性がある。


デニー知事は南西諸島の自衛隊基地建設・ミサイル配備は戦争を招くと主張し、反対している。住民も不安になっていると指摘している。そのデニー知事が尖閣領海へ武装した中国船が侵入し、漁船を追いかけまわすことに対しては何も言わない。中国軍の台湾侵攻の軍事演習で与那国島を挟み、尖閣領海ぎりぎりに接近したことにも沈黙している。尖閣は中国の領土であると主張しているから尖閣に中国軍が侵攻する可能性がある。南西諸島の住民は中国軍にとても不安になったはずである。ところがデニー知事は中国軍の軍事演習に対しては沈黙している。

沖縄の平和を守るために政府の軍事強化に反対し、対話外交をしようとしているのがデニー知事である。ところが中国行きが現実的になると、ファーエイと秘密会談をやり、中国軍の台湾侵攻軍事演習にも無言である。最近のデニー知事は沖縄を守ろうとしている政府には反対し、沖縄の尖閣に侵攻している中国とは親しくしようとしているように見える。

デニー知事は沖縄の平和のために中国と対話外交をやっていくかどうか、これからのデニー知事の行動に注目しよう。

3月3日

若者少なし　進む左翼運動の老齢化

政府が南西地域で進める防衛体制の強化に反対する集会が那覇市で開かれた。

実行委員は「今回の集会にできるだけ多くの若者が参加してほしい」と思っていたが会場を訪れている多くは沖縄戦の体験者に近い世代・・・老人たちであった。若者の参加は少ない。

南西地域の石垣市長、与那国町長、竹富町長は防衛体制の強化に賛成している。市町民の選挙で選ばれた3.市町長は防衛体制の強化に賛成しているのだ。地元自治体の思いに反対する集会を遠く離れた那覇市で開いたのである。デニー知事と同じように地元自治体の切なる思いを切り捨てた集会である。

日本の平和を維持し沖縄が戦場にならないために努力しているのは政府である。防衛力強化のための南西諸島への自衛隊の配備やアメリカ軍との一体化を進めるのは沖縄が戦争にならないためである。防衛強化を戦争にするためであると考えるのは妄想である。

ロシアのウクライナ侵攻があり、中国の台湾侵攻の噂がある中で若者が参加しない。

集会は平和主義を装った左翼の反政府、反米運動である。こんな集会に参加する若者が少ないのが当然である。

左翼の老齢化が進んでいることが明確になった集会と言えるだろう。

4月11日

南西諸島の自衛隊基地建設、ミサイル設置反対派は中国軍の台湾侵攻演習には沈黙　真の平和主義者ではない

南西諸島の自衛隊基地建設、ミサイル配備などに抗議する集会が那覇市や石垣市で開かれた。

自衛隊基地建設、ミサイル配備は沖縄が攻撃の対象となる。沖縄が戦場にならないためにミサイル配備をするなと配備に反対している。「島々を戦場にするな！沖縄を平和発信の場に」と主張している。石垣島の集会では「石垣島にミサイル基地はいらない」などとシュプレヒコールした。

中国軍は8~10日の3日間に台湾海峡や台湾島の北部、南部、東部の海空域で台湾侵攻準備の軍事演習をした。演習の北部と東部の間に与那国島がある。

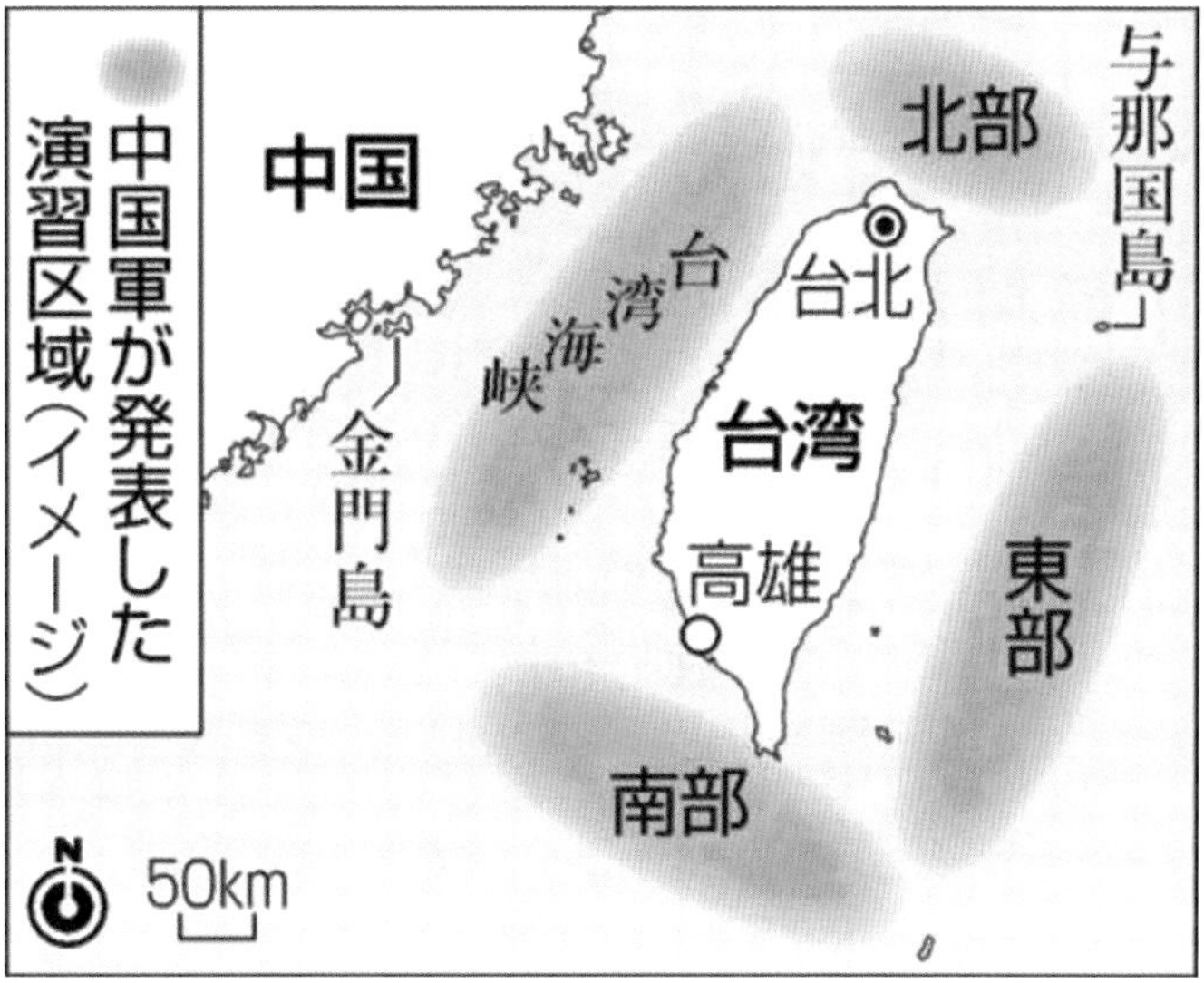

台湾有事は沖縄有事と言われている。沖縄の平和を守るためには台湾有事に反対しなければならない。ところが南西諸島への自衛隊基地建設、ミサイル設置に大反対している団体は中国軍の軍事演習にはなにも言わない。沈黙している。黙認している。

沖縄には米軍基地がある。台湾有事になれば沖縄の米軍が中国軍と戦うのは確実である。中国軍は南西諸島だけでなく沖縄本島も攻撃するだろう。台湾有事は確実に沖縄有事になる。それなのに中国軍の台湾侵攻軍事演習になにも言わないのだ。変である。本当に沖縄の平和を考えているとは思えない。自民党政府の政策に反対しているだけであるとしか考えられない。

日中高級事務レベル海洋協議で船越健裕外務省アジア大洋州局長は中国による東・南シナ海への海洋進出に深刻な懸念を伝え、中国海警局船による沖縄県・尖閣諸島沖の領海侵入を直ちにやめるよう要求した。「台湾海峡の平和と安定の重要性」も訴えた。日本政府は台湾との友好関係を重視している。中国の台湾侵攻を防ぐ努力をしている。

政府は自衛隊基地建設、ミサイル設置をしつつ、中国との対話で平和外交もやっている。

平和主義団体は政府に自衛隊基地、ミサイル設置を主張するだけで中国の台湾侵攻の軍事演習には沈黙している。本当の平和主義ではない。

南西諸島の三市町の悩みにソッポを向き　中国にシッポを振るデニー知事

ＰＡＣ３配備に関して、石垣市の中山義隆市長と糸数与那国町長は「受け入れる」と明言した。

防衛省と自衛隊が配備に向けて「かなり迅速な対応」したことを「ほっとしたと同時にうれしかった」と述べた。「できればそのまま撤収しないでこの島に置いてほしい。いつでもすぐ、即時に対応できるように、あってほしいというのが本音だ」と糸数町長は述べた。

日本で中国に一番近い島が南西諸島である。その南西諸島の石垣市長、宮古島市長、与那国町長は自衛隊の配備、ＰＡＣ３配備に賛成である。中国の侵略を防ぐには自衛隊基地建設、ミサイル配備が必要であることを強く認識しているのだ。

武装した中国海警局の船が領海の尖閣に自由に侵入し、日本漁船を追いかけまわす状態が日常になっている。尖閣は有事の状態である。

デニー知事は県のトップに立つものとして難しい問題を抱えている3市町長と会合を開いて、平和になれる解決策を求めて話し合うべきである。ところがやっていない。話し合いをしないどころか南西諸島の市町長が賛成している自衛隊配備、ＰＡＣ３設置に反対をしているのだ。

デニー知事は石垣市に対し、尖閣問題に関する提言や提案をしたことが一度もないという。「尖閣がいかに危険な状態にあるか知ってほしい」と石垣市民は訴える。自分たちの領土である尖閣を心配しないデニー知事に石垣市民は嘆いている。

糸数町長は「昨年のミサイル発射は台湾を脅すだけでなく、日本へのけん制の意味もあったのだろう。我々のような小さな自治体ではなかなか声が届かない。玉城デニー知事は最近訪米したばかりだが、米国よりも北京に行き、中側に抗議してほしい」と訴えた。

中山義隆石垣市長も尖閣の有事を防ぐためには中国との対話が必要であると述べ、デニー知事は本来なら米国ではなく中国に行って話をするのが筋だ」と主張している。

南西諸島の市町長の切実な訴えがあるのにデニー知事は耳を傾けない。7月に中国に行く予定のデニー知事である。デニー知事は中国と昔から友好関係にあり、経済や文化交流を高めていった中国との友好を高めることを強調している。南西諸島の尖閣問題については一切口に出さないのがデニー知事である。沖縄県の知事として尖閣の問題を知るために市町長と話し合わないのは県知事としてあってはならないことである。デニー知事があってはならないことを実行している理由は決まっている。デニー知事はオール沖縄に囲い込まれているからである。オール沖縄は共産党や左翼が主導権を握っている政治団体である。左翼の方針がデニー知事の方針になっているのだ。

安保関連3.文書、南西地域への自衛隊配備、ミサイル配備は沖縄県が戦争の最前線になるというのが左翼の理論である。オール沖縄は左翼だから同じ考えであり、デニー知事はその考えに従って行動している。だから当然のことながら自衛隊配備、ミサイル配備に反対である。石垣市長、宮古島市長、与那国町長の切実な訴えは無視である。デニー知事は沖縄県の知事であるといえようか。

日本の国民主権、議会制民主主義を理解できない共産党、左翼

岸田内閣が「安保3.文書」を閣議決定したのは安保法制があるからである。安保法制に徹底して反対したのは共産党である。

選挙では全国に独自の立候補を立てて他の野党とは共闘しなかった共産党である。ところが前回の衆議院選では立憲民主と共闘して多くの選挙区で候補者を下ろして選挙共闘をした共産党であった。共産党が立憲民主と共闘したのは与党になって安保法制を廃案にするためであった。それほどまでに共産党は安保法制を廃案にしたかったのである。しかし、選挙に負けた。安保法制を廃案にすることはできなかった。岸田内閣は安保3.文書を閣議決定した。共産党が阻止したかった3文書である。

沖縄県は参議院小選挙区で唯一当選したように共産党が強い。県議会で安保3.文書反対が議決されたのは共産党の強い押しがあったからである。

憲法記念日、沖縄県内では２０２３憲法講演会（主催・県憲法普及協議会など）が浦添市内で開かれた。映画監督で毎日放送ディレクターの斉加尚代氏（５８）が講演した。毎日放送は左翼である。左翼は国民主権、議会制民主主義を容認していない。

斉加氏は、愛国心を重視する教育基本法改正や道徳の教科化を「従順な国民づくり」だと批判し、渡嘉敷島の「集団自決（強制集団死）」を巡る取材を根拠に、「教育は子どもたちを幸せにできるが、一歩間違えれば追い詰め命すら投げ出させる、その両面がある」と述べたという。

戦前は軍部が犬養毅首相を殺害して政党政治から軍部支配の軍国主義政治になったから集団自決・・・強制集団死ではない・・・が起こった。戦後の日本は議会制民主主義国家である。国民が選んだ政治家が政治を行う。現在の日本では戦前のように子供を追い詰めて命を投げ出させる政治は絶対にしない。そのような政治をしようとする政治家は国民が落選させる。国民主権の議会制民主主義では絶対に起こらないことをあたかも自民党が戦前の政治をしようとしているイメージをつくるのが左翼である。自民党は国民の選挙で選ばれて与党になったのである。戦前のように政治家を暗殺して政権を握ったのではない。戦前と戦後の国家体制は違う。戦後の政治は国民が選んだ政治家が政治を行うし、自衛隊も内閣の下にある。自衛隊が政権を握ることはない。

岸田政権が安保３文書を閣議決定したのは、憲法の恒久平和主義に基づく戦後日本のあり方を根本から変え、日米軍事同盟を一層強化する下で「戦争国家づくり」の道をさらに突き進もうとする暴挙であると左翼は岸田政権を非難している。日本の平和を守るには他国から攻撃されないための軍事力が必要である。安保３文書は日本が攻撃されないための政策である。日米軍事同盟こそが日本の安全を守っている。それに米国は他国に侵略する帝国主義国家ではない。民主主義国家を守っている国である。

ロシアに侵攻されたウクライナを守るために先頭に立って支援しているのが米国である。米国はフィリピンが中国に侵攻されないためにフィリピンに米軍基地を建設した。そして、台湾が中国に侵略されないために米国がリードする日米豪印のクワッドは軍事合同演習をしている。民主主義国家であり、世界の民主主義国を守っている米国を帝国主義といって非難しているのが共産党、左翼である。

安保3文書に反対しているのは共産党、左翼だけではない。日本中国友好協会も反対声明を2022年12月21日に出している。中国友好協会も左翼である。

もし、自民党が日本を守る目的ではなく共産党、左翼が主張するように他国を攻める目的で自衛隊を強化しているのなら、それを知った国民は自民党を支持しなくなる。国を守るための政策を進めているから国民は自民党を支持し与党にしているのである。

県憲法普及協議会会長代行の加藤裕弁護士は憲法講演会で、南西シフトやミサイル導入は「沖縄を戦場にすることを前提にしている」と述べたという。共産党、左翼と同じ考えである。2023憲法講演会は左翼による左翼のための集会である。

議会制民主主義の日本は国民主権である。国民主権の民主主義国で現在の日本は戦前のような他国を支配する目的の戦争はしない。戦争しようとする政党を国民は選ばない。左翼は議会制民主主義日本を理解していない。

志位共産党委員長は「辺野古に米軍基地が新設されれば有事の時にミサイル攻撃される」といって、辺野古新基地建設に反対した。普天間飛行場を辺野古に移設する目的で辺野古に軍事飛行場を建設している。だから新基地建設ではなく移設基地である。しかし、共産党も左翼も移設基地とは言わない。新基地建設という。そして、新基地を建設すれば有事の時にミサイル攻撃をされるといって反対するのである。移設できなければ普天間飛行場がミサイル攻撃される。住宅密集地に囲まれた普天間飛行場の方が辺野古より被害は大きい。しかし、左翼はそのことは言わない。無視している。

中国、台湾に一番近い石垣市、宮古島市、与那国町が三市町の安全を守るために自衛隊配備、ミサイル、PAC3.配備に賛成しているのにデニー知事、県議会は反対している。三市町の主張を無視し、尖閣の有事を無視しているのが共産党と全国の左翼であるし、沖縄の左翼である。沖縄では一部の保守も左翼に同調している。残念である。

2月18日

沖縄の防衛力強化を捻じ曲げる前泊教授の予算委発言

沖縄国際大の前泊博盛教授が16日、衆院予算委員会公聴会の予算質疑に公述人として出席し、政府が「台湾有事」を見越して米国と連携して進める沖縄を含む南西諸島の防衛力強化について、「沖縄での局地戦を展開する準備を進めるかのような印象を受ける」と防衛力強化が沖縄を戦場にすると主張した。防衛力を強化すれば戦場になり、強化しなければ戦場にならないというのが前泊教授の考えである。沖縄に米軍基地、自衛隊基地がないほうが沖縄は中国から攻撃されることはなく平和であるというのが前泊教授の理論である。アホらしい理論である。

共産党の志位委員長は辺野古に新基地ができれば有事の時にミサイル攻撃されるという理由で普天間飛行場の辺野古移設に反対している。基地があるから攻撃されるという志位委員長の考えと前泊教授の考えは共通している。

志位委員長は辺野古に基地ができればミサイル攻撃されるという理由で辺野古基地建設に反対している。辺野古に建設するのは普天間飛行場を移設するためである。もし、辺野古基地が建設されなかったら普天間飛行場が固定化してしまう。志位委員長の理屈では有事になれば普天間飛行場がミサイル攻撃される。多くの宜野湾市民の生命が失われるだろう。辺野古のほうは海に囲まれ、キャンプ・シュワブの米軍基地があるだけだ。辺野古区は基地から離れている。普天間飛行場より辺野古基地のほうが県民の被害は少ない。有事になれば基地はミサイル攻撃されるという志位委員長の理屈を認めたとしても辺野古に基地を建設したほうがいい。

前泊教授が勤務している沖縄国際大学は普天間飛行場の隣にある。危険防止として設置していた軍用地を米軍に返還させた土地に1972年に設立したのが沖国大である。沖国大の隣に普天間飛行場を設立したのではなく普天間飛行場の隣に沖国大を設立したのである。前泊教授は沖国大学を有事になればミサイル攻撃される場所に設立したことを問題にするべきであり、米軍基地から離れた場所に移転することを主張しなければならない。しかし、している様子はない。

前泊教授は沖縄を含む南西諸島の防衛力強化は沖縄で局地戦になると主張している。前泊氏は学者である。学者なら世界の国々の軍事や戦争について調べているはずだ。防衛力強化が局地戦になるというなら、防衛力を強化したことが戦争を招いた国を具体的に例示するべきである。ところがやらない。そんな国はないからだ。

ロシアが侵攻してウクライナ戦争が起こった。ウクライナが防衛力を強化したからロシアは侵攻したのか。そうではない。ウクライナは防衛力が弱く、数日で軍事支配できると思ったからプーチン大統領はウクライナにロシア軍を侵攻させたのだ。もし、ウクライナに沖縄のように米軍基地があり、ウクライナ軍と連携して防衛力を強化していたらロシア軍は侵攻しなかったはずだ。

ウクライナ戦争について研究すれば沖縄の防衛力強化は沖縄の戦争になることはないことが分かる。そのことを前泊教授は知っている。主張とは逆だから言わないのだ。

前泊教授は予算委員会で国会議員に対して、

「国会にだけ任せていたら沖縄が戦場にされかねない」

と述べた。

国会が沖縄を戦場にしようとしているというのである。前泊教授の発言は共産党と同じである。沖縄は昔から共産党が強い。共産党の創立に参加し、初代書記長になったのが沖縄出身の徳田球一である。徳田球一を「トッキュウ」と呼び、沖縄では有名だった。沖縄は共産党の影響が強かった。今も同じである。

志位委員長の「辺野古に新基地ができると有事の時にはミサイル攻撃される」が防衛強化は沖縄戦になるになったのである。前泊教授は共産党の影響が強い左翼学者である。

防衛力強化は侵攻を防ぎ、沖縄を戦場にしないためである。沖縄が戦争になるというのは共産党、左翼、前泊教授のでっち上げである。

連載小説　第3回
ゴドーと歩きながら

「よくもお前は平気で夫に恥をかかせるようなことが言えるものだ。」

「え、私が純一郎さんに恥をかかせるようなことを言ったのですか。」

「そうだ。まるで、私が夜眠れないということが嘘であるとお前は言っているようなものだ。」

「そうですか。」

「お前とは離婚だ。今の話を撤回しろ。私に恥をかかせたことを謝れ。」

「ごめんなさい純一郎さん。お母さん。話を撤回しますわ。」

洋子はあっさりと話を撤回した。

「お母さん。シベリアに行かないで日本に帰って下さい。日本の田舎で静かな余生を過ごして下さい。」

花子はすんなりと、

「分かりました。」

と言った。花子がすんなりと純一郎の要求に応じたことを純一郎は信じられないので、

「本当に分かったのですか。」

念を押した。

「本当に分かりました。」

花子はすんなりと答えた。純一郎はさらに念を押した。

「それでは日本に帰るのですね。」

「はい。日本に帰ります。」

「日本の田舎で静かに余生を過ごすのですね。」

「はい。日本の田舎で静かに余生を過ごします。」

「本当に日本に帰りますよね。」

「はい。」

「シベリアに行った後に日本に帰るなんて言いませんよね。」

「はい。言いません。」

「本当ですか。」

「本当に本当ですか。」

「嘘です。」

花子はすんなりと否定した。純一郎は唖然とした。

「え、嘘なのですか。」

「嘘に決まっていることを知らない純一郎は世間知らずもいいところ。」

「どうして嘘をついたのですか。」

「知らないの。」

「知っているはずがないです。」

「教えてあげましょうか。」

「教えてください。」

「それはね。」

「それはなんですか。」

「嘘をつく必要があったから。」

「なぜ、嘘をつく必要があったのですか。」

「知らないの。」

「はい。知りません。」

「あきれたわ。くやしくないの。」

「なにがくやしいのですか。」

「なぜ、嘘をつく必要があったのですかと母親のわたしに聞かなければならないことが。」

「くやしいとかくやしくないとかの問題ではないと思います。私にはお母さんがなぜ嘘をつく必要があったのか分からない。分からないから聞いたまでです。」

「そう。」

「そうです。」

「悲しいわ。」

「なぜ、嘘をつく必要があったのですか。」

「それは嘘をつく必要があったから。」

「だから、なぜ、嘘をつく必要があったのですか。」

「だからそれは、嘘をつく必要があったからよ。」

「だから、なぜ、嘘をつく必要があったのですか。」

花子は溜息をついた。

「嘘をつく必要があったのは嘘をつく必要があった

からなのよ。それをなぜと聞かれれば嘘をつく必要があったからと答える以外はないわ。どうして純一郎は同じ答えしか選ぶことができない質問を何度もするのかしら。純一郎は不思議な子だねえ。」

「お願いです。極寒のシベリアには行かないでください。お母さんがシベリアへ行ったら私はお母さんの身が心配で夜も眠れません。」

「野ざらしを心に風のしむ身かな。」

「え。」

「馬子は馬の口を捉えて旅を棲家とする。行き交う年もまた旅人なり。」

「え、え。」

「旅に病んで夢は枯野をかけめぐる。」

「え、なぜ芭蕉の俳句を詠ずるのですか。」

「嘘をつく必要の理由をつくるためよ。」

「芭蕉の俳句がですか。納得できません。」

「どうして純一郎が納得する必要があるの。嘘をつく必要は私にあります。嘘をつく必要が私にあるということは嘘をつく理由も私にあるのです。でも純一郎には理解できないから嘘をつく必要があったのは嘘をつく必要があったからという答えが一番適当なの。でも純一郎は不思議な子だから一番適当な答えを一番適当な答えと思っていないから一番適当ではない説明をやったの。純一郎が納得しないのは分かっているわ。」

「もう説明はいいです。とにかくシベリアは行かないで下さい。」

「行かないわ。」

「本当ですか。」

「本当よ。」

「本当に本当ですか。」

「嘘よ。」

「ああ、堂々巡りだ。」

「純一郎ひとりで堂々巡りをしていなさい。私たちは出かけます。」

「待ってください。」

純一郎は花子を引きとめる理由を探した。夕食を一緒にやり、その間に花子たちがシベリアに行くことを断念するように説得するアイデアが頭に浮かんだ。

「お母さん。久しぶりに会ったのですから私達と一緒に夕食をして下さい。」

「あら、それはいいこと。みんなで食事をするのは素晴らしいわ。ねえ、孝一郎さん。」

「それでは私達のホテルで夕食を取りましょうか。

お母さんはどこで食事をするのがいいですか。」

「そうねえ。あなたのホテルよりシャンゼリゼ通りのレストランで食事をするのがいいわ。」

「シドニーのどこにシャンゼリゼ通りがあるのですか。」

「シャンゼリゼ通りはシドニーにあるのですか。」

「分からないからお母さんに聞いているのです。シドニーにないとすればボンにあるのですか。それともダーヴィンにあるのですか。シャンゼリゼ通りはオーストラリアのどの市にあるのですか。」

「シャンゼリゼ通りはオーストラリアにあるのですか。」

「シャンソンで有名なシャンゼリゼ通りはフランスにあります。」

「オー、シャンゼリゼー。オー、シャンゼリゼー。のシャンゼリゼ通りですか。」

「そうです。そのシャンゼリゼ通りはフランスです。そのシャンゼリゼ通りではないシャンゼリゼ通りはオーストラリアのどこにあるのですか。」

「オーストラリアにもシャンゼリゼ通りはあるのですか。」

「知らないからお母さんに聞いているのです。」

「知らないから純一郎に聞いているのです。」

「ここがどこかお母さんは知っているのですか。ここはオーストラリアですよ。」

「ここがオーストラリアであるのはさっきまでは知らなかったけど今はどうにか知っているわ。」

「お母さんの言うシャンゼリゼ通りはオーストラリアにあるシャンゼリゼ通りではなくてフランスにあるシャンゼリゼ通りなのですか。」

「オーストラリアにシャンゼリゼ通りがあるのならオーストラリアのシャンゼリゼ通りでもいいですよ。」

「オーストラリアにシャンゼリゼ通りがあるのですか。」

花子は呆れて笑った。

「純一郎は人の話を聞くのが下手だねえ。私はオーストラリアにシャンゼリゼ通りがあるのならオーストラリアのシャンゼリゼ通りでもいいですと言ったのですよ。私がオーストラリアにシャンゼリゼ通りがあるかないかを知らないのははっきりしています。知らない私に『オーストラリアにシャンゼリゼ通りがあるのですか。』と聞くのはおかしいです。」

「私の知っているシャンゼリゼ通りはフランスにあります。まさかフランスのシャンゼリゼ通りのことではありませんね。お母さん。」

「シャンゼリゼ通りがフランスにあるのならフランスのシャンゼリゼ通りのことです。オーストラリアにシャンゼリゼ通りがあるのならオーストラリアのシャンゼリゼ通りのことです。アメリカにシャンゼリゼ通りがあるのならアメリカのシャンゼリゼ通りのことです。」

「シャンゼリゼ通りはフランスにあります。」

「そうですか。フランスにあるのですか。」

「ここはオーストラリアです。フランスは遠いです。」

「遠いのですか。」

「お母さんはわたし達と食事をしたくないからフランスのシャンゼリゼ通りで食事をしたいと言っているのですか。」

「そうかしら。」

「そうに決まっています。」

「そうに決まっていないかも知れなくてよ。」

「きっとそうに決まっています。」

「そうかしら。」

「そうです。」

「私は純一郎の家族と一緒に夕食をシャンゼリゼ通りで食べたいと思っただけなの。それだけのこと。シャンゼリゼ通りがフランスにあるとかオーストラリアにあるとかというのは関係のないこと。純一郎が私達と夕食を食べたくないのなら、残念だけどここでお別れ。私たちは行きますわ。ごきげんよう、純一郎。私の息子。」

「待ってください。私たちと夕食をしましょう。しかし、フランスのシャンゼリゼ通りで今日の夕食を取るのは不可能です。」

「そうですか。それじゃ明日の夕食をシャンゼリゼ通りで取ることにしましょう。私は今日の夕食に拘っていません。」

「そういう話ではありません。お母さんと話をしていると頭がおかしくなる。」

「ああ、久しぶりに純一郎と母子水入らずのお話ができて楽しかったですわ。ごきげんよう、純一郎。」

「お母さん。待ってください。」

純一郎は花子の前にたちはだかった。その時、遠くの方から人の声が聞こえた。どうやら女の声のようだ。声の聞こえる方向に走っている女の姿が見えた。

「コーさーん。」

走って来るのはマリーだった。マリーは、「コーさーん。」と叫びながら走っている。マリーの小さな姿がみるみるうちに大きくなってきた。髪を振り乱したマリーは土煙を上げながら走ってきた。マリーは息を切らしながらベンチまで走って来ると、孝一郎の側に座った。

「コーさん。パソコンを貸してください。もう我慢できない。パソコンをやらないと気が狂いそう。一万ドルの懸賞金乱数バトルが今から始まるの。コーさん。パソコンを貸してください。」

マリーは孝一郎からノートパソコンを奪うように取るとパソコンを開いてディスクトップにあるひとつのフォントをダブルクリックして開いてからURSを消して新たなURSを打ち込んだ。マリーのキーを打つ速さは神業のように早かった。

マリーのリュックサックを担ぎながらボブが走ってきた。

「マリー。なぜ逃げるんだ。マリー。何をしているのだ。」

パソコン操作に集中しているマリーにはボブの声は聞こえない。マリーは一心不乱にパソコンに夢中になっていた。一万ドルの懸賞金乱数バトルというのはコンピューターが作った四桁の数字がA段階、B段階、C段階とあり、三分間にA段階、B段階、C段階の四桁の数字を最初にクリアした人間が一万ドルの懸賞金が貰えるという単純なゲームである。

マリーがSTARTキーをクリックするとA欄が青く点滅した。マリーは四桁の数字を作るとENTERキーを叩いた。正解の数字ではないのでブッブーと鳴った。マリーは一秒間に三通りの四桁の数字を打ち込むペースで次々とENTERキーを押した。マリーの指は目にも止まらぬ速さでキーを叩く。A欄は次から次へと四桁の数字が変わっていった。ボブはマリーの前に立ち、マリーの一万ドルの懸賞金乱数バトルを止めさせようとした。

「マリー。止めろ。手を止めるんだ。」

ボブの声は一万ドルの懸賞金乱数バトルに夢中になっているマリーの耳には聞こえない。マリーが０６０６の数字を打ってＥＮＴＥＲキーを叩いた瞬間にジャジャジャジャーンと運命の曲がなりＡの欄には０６０６が点滅した。マリーが歓喜の声を発しながらＥＮＴＥＲキーを押すとＢ欄が緑色の点滅を開始した。

ボブはマリーからパソコンを取り上げたかったが、パソコンは孝一郎の所有物である。強引に取り上げるとパソコンを壊してしまう恐れがあるのでマリーから強引にパソコンを取り上げることができなかった。

「マリー。止めろ。手を止めるんだ。」

ボブは叫んだ。しかし、一万ドルの懸賞金乱数バトルのＡ欄をクリアしたマリーはますますキーを叩くことに集中し、ボブの声は聞こえなかった。マリーが０４２８を打ってＥＮＴＥＲキーを押した瞬間にジャジャジャジャーンと運命の曲が流れてＢの欄に０４２８が点滅した。マリーは「ウォー。」とまるで獣のような歓喜の声をあげながらＥＮＴＥＲキーを押した。Ｃ欄が赤く点滅し始めた。運命の曲がマリーを高揚させるように流れ続けた。マリーは獣のうなり声のような声で運命を「ウーウー。」と口ずさみながらパソコンのキーを激しく叩いた。ボブは、「マリー、手を止めるんだ。」と言って、マリーの手首を掴んで強引にパソコンから指を離れさせた。マリーはボブを睨んで、

「手を離しやがれ豚野朗。」

マリーは唸った。ボブを睨むマリーの顔はメドゥーサのように恐ろしい顔になり、目はボブを射殺すほどの迫力があった。ボブはマリーの頭に八匹のヘビが蠢いているような錯覚を覚えた。ボブはメドゥーサのような形相をしたマリーが恐ろしくなって手を離した。マリーは「ウーウー。」と獣のような声を発しながらキーを叩き続けた。Ｃ隣にの上にあるタイムウォッチが３０、２９、２９・・・と〇に近づ

いていく。マリーの獣のよう声ばますます大きくなり、キーを叩く速さもアップしていった。タイムウォッチの数字が8、7.6となった時、マリーは「ウアー。ウォー。ワー。」などと気が狂ったような叫び声をあげてキーを叩いた。しかし、タイム表示板はマリーの懸命なキー叩きを嘲笑うように○を表示して止まった。三分間全速力で走ったマリーは疲れがどっときて、ベンチの背もたれに寄りかかって空ろな目をして動かなくなった。

「マリー。」

ボブは目を開けたまま眠っているように動かない虚脱状態のマリーの名を呼んだ。ボブが何度も呼ぶ声にマリーはやっと正気に戻った。

「ボブ。私は疲れているの。休ませて。」

マリーはベンチの背に寄りかかり目を瞑った。ボブはマリーを呼んだ。耳の側でボブが大声で「マリー。起きろ。」と呼んだのでマリーは再び目を開いた。

「何故だ何故だ。パソコンに手を触れないと約束したのは今日の朝だ。一日さえも経過していないというのにマリーはパソコンに手を触れた。何故だ何故だ。」

マリーはうんざりした顔をして、頭を掻きながら再び目を瞑った。

「僕にはマリーの気持ちが理解できない。マリー、起きろ。起きて僕に釈明をするのだ。」

「うるさいわ。静かにして。」

マリーは目を瞑ったまま言った。

「マリーは僕にうるさいと言う権利はない。マリーは僕との約束を破った。マリーには釈明する義務がある。さあ、目を開いて釈明をしてみろ。」

「うるさいなあ。白豚野朗。静かにしろよ。」

ボブはマリーのあばずれのような言い方に激しいショックを受けたが、すぐに激しい怒りが込み上げてきた。

「マリー、目を開けなさい。」

ボブはマリーの首を締めた。

「苦しい。止めて。」

ボブは手を離した。マリーは咳をした。マリーは我に帰りベンチに座っている自分に驚いた。

「あら、なぜ私はここに居るの。なぜ私はベンチに座わっているの。このノートパソコンはなんなの。」

マリーは膝の上にノートパソコンがあるのに気付いた。隣には孝一郎が座っている。マリーは孝一郎のノートパソコンを膝の上に置いてあることに気づき、ノートパソコンを孝一郎に返した。

「すみません。」

孝一郎はマリーのキーボードの目にも止まらぬ指捌きに関心していた。

「いやあ、素晴らしいですなあマリーさん。マリーさんの指さばきの素晴らしさに私は思わず拍手しました。マリーさんの手は魔法の手です。神業の指捌きですなあ。本当にすごかった。あんなに早くキーを打つ人は生まれて初めて見ました。うらやましい。あれだけの速さでキーを打つことができればインターネット株売買で何百万と儲けるのは簡単です。私はキーを打つのが遅いからチャンスを逃し続けている。マリーさんの手が羨ましい。」

マリーは自分がパソコンを操作した記憶を失っていた。

「私はコーさんのパソコンを使ったのですか。」

「そうですよ。覚えていないのですか。まあ、人間は集中の度合いが高ければ高いほど記憶に残らないものです。マリーさんは賞金乱数バトルとかというサイトで四桁の数字を目にも止まらぬ速さで打っていました。」

マリーは賞金乱数バトルをやったことを思い出して

「キャッ。」と叫んで口を覆った。恐る恐るボブを見るとボブはマリーを睨んでいた。マリーはボブの怒りに目を伏せた。

「マリー。僕の目を見て。なぜ、リュックを放り投げて五キロも走り続けてここに戻ったのだ。ちゃんと説明してくれ。」

「ごめんなさいボブ。」

「謝る前に僕が納得いくように説明してくれ。」

「ごめんなさいボブ。なぜ、私がここに居るのか。私には分からない。だから、謝ることしかできないの。ごめんなさいボブ。」

ボブはマリーの言葉を鵜呑みにできなかった。突然、マリーはリュックサックを放り投げて走り出した。「マリー。」と何度も呼んだのにマリーは一度も振り返らないで五キロの道をひたすらに走り続けた。マリーの足は速くてボビーはマリーを掴まえることができなかった。マリーの足の速さに脅かされたが、ボブは走りながら必死にマリーの名を呼んだがマリーはボブの声を無視して走り続けた。なぜマリーが走った走るのかボブは理解できなかった。マリーが走った先は孝一郎のノートパソコンだった。マリーは賞金乱数バトルというニ分間のインターネットゲームをやるためにリュックを放り出しボブに背を向け一目散に五キロの道を走ったのだ。ボブはマリーの気持ちが理解できなかったしボブを無視し続けたマリーを許すことはできなかった。

「僕はマリーが謝まるだけでは納得できない。絶対にだ。僕達夫婦が一週間も討論し続けたのはなんのためだったのだ。崩壊した家族生活を修復するためではなかったのか。激しい夫婦討論の結論としてマリーは二度とパソコンに手を触れないという結論に達した。僕は一週間の有給休暇を取って、マリーのパソコン中毒を治癒させるためにマリーとの徒歩旅行に出た。旅行に出たのは今日の朝だよ。昨日でもなければ一昨日でもない。家を出たのは今日の午前五時三分だ。昨日の夕方に子ども達はママの所に預けて、二人だけの家で水入らずの時間を過ごし、話し合い愛し合い心を通じ合わせたのは昨日の夜から今日の朝にかけてだったのだ。二十四時間も経過していない。それなのに、ああ、それなのに。僕は情けないよ。マリーが簡単に僕を裏切るなんて。」

ボブの頬からは涙が伝っていた。マリーはうなだれてボブの話を聞いていた。孝一郎はマリーの手を取り観察していた。

「この手はゴッドハンドだ。もう少しで一万ドルを手に入れていたかも知れない。すごい手だ。」

ボブとマリーの話を聞いていない孝一郎は独り言を言った。孝一郎の独り言をきいてマリーの目がきらりと光り、「一万ドル。」と呟いた。

「コーさん。一万ドルと言ったわね。どういう意味なの。」

「マリーさんがもう少しで一万ドルを手に入れたかも知れないという話だよ。Ａ欄Ｂ欄はクリアしてＣ欄をクリアすれば一万ドルが手に入っていたのだ。実に惜しかった。」

マリーは孝一郎の話でインターネットゲームの一万ドルを取り逃がしたことを思い出した。Ｂ欄をクリアした時はまだ一分十秒残っていた。一分以上の余裕が持てたのは初めての経験だ。孝一郎の言った通り一万ドルをゲットする可能性はかなり高かった。もし、ボブが手を掴まえて十秒余の中断をさせなかったら一万ドルが手に入っていたかも知れない。一秒で三から四つの数字を作るとして十秒なら三十種類以上の四桁数字を打てる。ボブが邪魔しなければ一万ドルゲットが現実となっていたかも知れないのだ。マリーの意識が覚醒した。マリーは一万ドル賞金乱数バトルゲームのことを思い出し、一万ドルの賞金を取り逃したことの無念さが心にふつふつと沸いてきた。賞金獲得を邪魔したボブが恨めしくなってきた。

「マリー。僕の話を聞いているのか。」

「聞いているわ。」

マリーは胡散臭そうに言った。

「それでは聞く。なぜ、リュックサックを放り投げて走り出したのだ。僕は必死にマリーを呼び止めた。走りながら何度もマリーの名を呼んだ。しかし、マリーは僕の声を無視して走り続けた。なぜ僕の声を無視して走り続けたのだ。なぜだ。」

ボブに詰問されながらマリーはボブへの怒りがふつふつと湧いてきた。ボブの声に苛々がつのり、ボブに返事する代わりに、「ああ、くやしい。」とうめいた。ボブへの怒りと一万ドルの賞金を逃した無念がマリーの心を苛々させた。マリーはボブにそっぽを向き、横を向いたり頷いたりして溜息をついた。

「なぜなのだマリー。」

「知らないわ。」

マリーはぶっきらぼうに言った。マリーの言い訳を聞き、マリーの言い訳を許さずに反論する気でいたボブは肩透かしを食らった。

「それはないよ。マリーはここまで一目散に走ってきてパソコンでインターネットゲームをやったじゃないか。つまり、インターネットゲームをやるためにマリーは大事なリュックサックを放り投げ、夫の僕にそっぽを向いて五キロの道を走り続けたのだ。そうではないのかマリー。」

「ボブがそのように思うのならそのように思えばいいわ。私は構わないわ。」

ボブはインターネットゲームをやるために徒歩旅行を中断したマリーを責めた。マリーのパソコン中毒が子供達にも伝染して家庭が崩壊していることを主張してマリーを非難した。ボブはマリーが昨日のようにボブの主張に負けて、家庭崩壊したのはマリーの責任であることをマリーは認め、パソコン中毒を治すために再びボブと徒歩旅行をすると確信していた。しかし、マリーの心にはパソコン病に犯されたマリーが覚醒していた。

「うんざりだわ。」

マリーは横を向いて呟いた。ふてくされているマリーにボブは憤った。

「なにがうんざりだ。マリー。真面目に考えろ。君はフランクリンとミシェルをパソコン中毒にしたのだ。引き篭もりの子供にしたのだ。マリーのパソコン病を治すための徒歩旅行をなぜ投げ出したのだ。」

「ボブの話はうんざり。」

「なにがうんざりだ。冷静になって考えるんだ。マリー。そっぽを向かないで。僕の目を見るのだ。」

マリーはボブを見た。目が鋭い。ボブはマリーの目の鋭さにたじろいだが、気を取り直してマリーを責めた。するとマリーはボブの話を無視するように横を向いた。ボブの怒りが爆発した。

「マリー。なぜそっぽを向くのだ。きみは母親として幸せな家庭を作る義務があるのだ。きみは母親としての義務を放棄して家庭を崩壊させた。マリーには母性本能がないのか。母親としての責任感はないのか。家庭を崩壊させたマリーを僕は許さない。」

マリーは立ち上がって家の方に歩き始めた。

「マリー。どこに行くのだ。」

「家に帰るの。」

ボブは呆れた。

「徒歩旅行はどうするのだ。放棄するのか。君は崩壊した家庭を元のアットホームな家庭に戻す積もりはないのか。」

マリーはボブを睨んだ。そしてうす笑いをした。

「家庭崩壊していると思っているのはボブだけだわ。家庭崩壊なんかしていないわ。」

マリーの反論はボブにはマリーがボブの正しい理論から逃げているようにしか思われなかった。

「父親が帰って来て大声で『ただいまあ。』と言っても誰も玄関に迎えに出てこない。家族のみんなが自分の部屋に引き篭もって父親の帰宅を無視だ。家族の対話がない。夕食はない。それぞれが食べたい時に食べるだけ。親子の対話はない。家族の意思疎通はなくなってそれぞれが自分勝手に行動している。それが家庭崩壊ではないというのか。それが家庭崩壊ではないということを説明して欲しいねマリー。説明ができるのなら。」

「ボブは勘違いしているわ。」

マリーは毅然としていた。

「なにを勘違いしているのだ。」

「ボブは家族のために働いている。家族の生活はボブの給料で成り立っている。だから家族の中心はボブだと思っているわ。そうでしょうボブ。」

「僕は僕が家族の中心とはちっとも思っていない。マリーは僕が亭主関白主義と思っているが、僕は亭主関白主義ではない。家族は平等だ。家族の生活費を稼いでいるのは僕であるが、それは僕の役目であって、マリーはマリーの役目がある。僕が生活費を稼いでいるからといって僕中心に家族はあるべきだなんて僕は考えていない。」

「そうかしら。」

「そうだ。」

「でも、ボブは仕事から帰ったら家族が笑顔で迎えてくれるのが当然と思っている。夕食は家族みんなが集まって食事をしなければならないと考えている。夕食を食べながらフランクリンやミシェルが学校での出来事を父親のボブに報告するのは当然と思っている。グラマンの一日の様子を私がボブに報告するのを当然と思っている。そうでしょうボブ。」

マリーはボブの本心を言い当てたとでもいうようにうす笑いをした。

「違うのボブ。」

「それが家族のあるべき姿だ。違うのかマリー。」

マリーは間を置いてから言った。

「その考えはねボブ。ボブが家族の中心であると考えている証拠なのよ。」

「僕は仕事をやり、フランクリンとミシェルは学校に行っている。家族全員が集まるのは夜だ。家族の意思疎通ができる時間は夕食の時じゃないか。お互いの心を開いて話し合い理解し合う。そして、子供が悩んでいる時は人生の先輩としてアドバイスをしてあげる。それが家族の愛を深めていくことになる。それのどこがいけないんだ。僕たちは家族だ。お互いが理解しあい支えあい励ましあっていかなくてはならないのは当然だ。そうではないのかマリー。」

「そうかしら。」

「違うのか。」

「もっともらしい理屈だけど、それは亭主中心主義の発想だわ。」

「そうじゃない。それは家族のあるべき姿だ。そうじゃないのか、マリー。」

マリーはボブから顔を背けた。

「ボブには理解できないことかも知れないわね。」

「僕にはなにが理解できないのだ。僕はマリーを愛し子供たちを愛し、マリーや子供たちを理解する努力をずっとやってきた。そんな僕にマリーは平気でそんなことを言う。」

「ボブが理解しようとしているのはボブにとって都合のいい面だけの私たちよ。ボブにとって都合の悪い面をボブは理解しようとしなかった。」

「そうなのか。へえ。僕が理解できない面というのはどういうことか説明してもらおう。」

マリーはため息をついた。

「私はボブの妻である前にマリーという人間なのよ。私の人間としての自由を夫という権力で束縛する権利はボブにはないわ。フランクリンもミシェルも人間よ。ボブの子供であるという義務より一個の人間としての自由が優先するわ。」

「自由だから夕食も自由に取るということか。」

「そうよ。」

「それでは家族としての愛はどうなるのだ。」

「押し付けの家族愛なんか無い方がいい。」

ボブは家族崩壊を当然と考えているマリーに絶句した。

「僕は家族の生活を支えているのになにも報われない。食事さえ自分で作らなければならない。まるで無人島生活をしているようだ。家には妻が居て子供が居るというのに独身生活と同じだ。」

ボブの嘆きにマリーはうんざりした。

「仕方がないわ。夕食は作ってあげる。ボブが夕食をなににするか決めて。そして、前の日に材料とレシピを準備して。」

「え、僕がレシピを作って料理の材料まで準備するというのか。」

「そうよ。ボブが材料とレシピを準備するならボブの望む料理を作ってあげるわ。」

「仕事をしている僕が夕食の料理をなににするかを考えて、レシピも材料も僕が準備するというのか。」

「そうよ。ボブ。」

「仕事をしている僕にそんな面倒なことができるはずないじゃないか。」

「できないはずはないわ。やろうと思えばできるものよ。本当はやる気がないからできないとボブは言うのよ。努力するかしないかの問題よ。」

「その言葉はマリーにそのままお返しする。マリーもやる気がないから夕食を作らないのだ。作る気になれば作れるということだろう。」

「そうよ。作ろうと思えば毎日作れるわ。でも、夕食を作るのにもううんざりしているの。うんざりのうんざりなの。毎日ボブが食べたい食事を考え、味付けや料理の種類に悩んでボブが満足するための料理を作るのにはうんざりしているの。もう、ボブのために私だけで考えて夕食を作る気にはなれない。私はボブじゃないもの。ボブがなにを食べたいか考えるのに苦労するのは当然だわ。もうボブの夕食のために考え悩む時間は持ちたくないの。そんな無意味な時間はパソコンをする時間に使った方がいいわ。夕食にどんな料理を作るかを考えることは私の自由な時間が奪われるということなの。だから、ボブが料理の材料を準備してくれるなら作ってあげる。私には家族の一員としての義務があるからボブのために私の自由を犠牲にしなければならない時間も作らなければならないわ。」

「食事を作ることが自由を犠牲にするというのか。僕にはそんな考えは理解できない。マリー。君はフランクリン、ミシェル、グラマンの母親であり、僕の妻なのだよ。僕らは家族なのだよ。家族のために働くことを自分の自由を犠牲にするという発想はおかしい。マリーはいつからエゴイストになったのだ。」

「私がエゴイストですって。冗談ではないわ。なぜ、ボブのために私の自由を犠牲にしなくてはならないの。」

「ゲームをするのが自由という名の権利だというのか。」

「そうよ。」

「遊びを自由の権利呼ばわりするのはおかしい。それは詭弁だよ。」「賞金乱数ゲームは知的ゲームよ。勝利すれば一万ドルが手に入るのよ。ちゃんとした労働だわ。ボブが考えているゲームとは質が違うわ。」

ゲームを労働だと言ったのでボブはマリーをせせら笑った。

「よく聞いてボブ。賞金乱数バトルゲームは本当は単なる乱数ではないの。A欄はオーストラリアの歴代の歴史的人物や大統領や議員の誕生年や誕生日を当てる。B欄は世界の歴史的人物の誕生年や誕生日を当てる。アメリカ、ヨーロッパ、アジアなど世界中の歴史的人物の誕生日が対象なのよ。誕生日を記憶していればいるほどゲームを有利にすることができるのよ。何千人もの誕生日を覚えるのは大変なことなのよ。私は五千人以上の歴史的人物の誕生日を覚えているわ。ゲームだからといって馬鹿にしないで。

A欄とB欄をクリアすると最後はC欄。C欄は完全な乱数ゲーム。A欄とB欄を早い時間でクリヤーすればするほど有利になるわ。今日はA欄とB欄を早い時間でクリヤーしたからC欄の乱数字を当てる可能性が高かった。もう少しで一万ドルの賞金が手に入るところだった。ああ、くやしい。ボブ。あなたは私の邪魔をした。ボブは私が一万ドルを獲得するチャンスを邪魔をしたのよ。賞金はボブの給料の何倍ものお金だったのよ。賞金乱数バトルゲームはボブの仕事よりも何倍もの知識と技術の高いゲームなのよ。」

「ほう。私のクレーン技術より上だと言うのか。」

「そうよ。」

「私よりマリーの方が頭脳も技術も上だと言うのか。」

「当然よ。比べ物にならないくらいよ。」

「あははは。お笑いだ。」

ボブはマリーの主張がばかばかしかった。

つづく

アートハイク

荒れ狂い
どこへ行く
俺
どこへ行く

葉を落とし
夏を迎える
あまのじゃ木

岩の上
潮風受けて
咲くはユリ

岩に
生きる
秋のにが菜の
黄いちりん

絡みつく
生活 今日の
虚しさよ

おまえと 野
を 行き 微笑み
も 遠い日

グラジオラスが出てきた
おい 春だぞ

岩穴に
細々と生きる
浜木かな

なに求め
うだるこの夏
生きりゃいい

仰向けに
寝そべる木々に
雨が降る

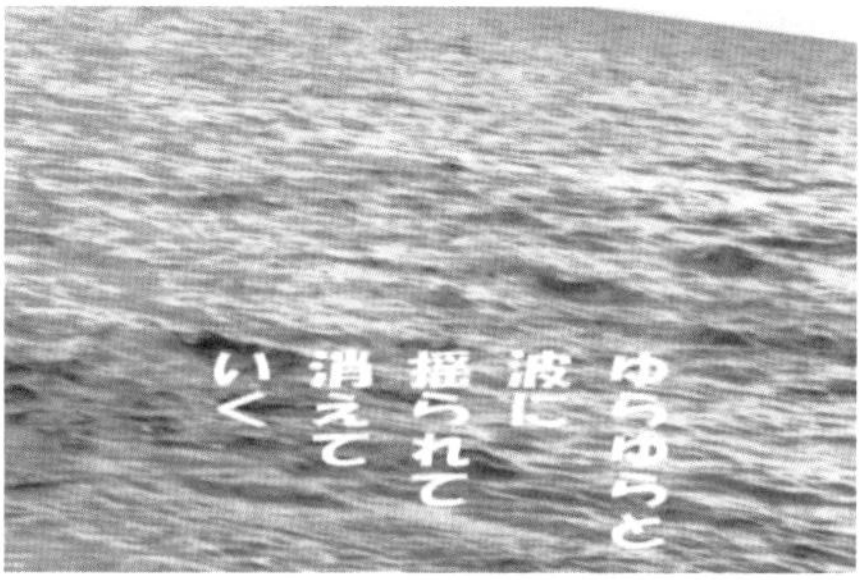
ゆらゆらと
波に
揺られて
消えて
いく

狂う風
狂わされる木
くるうくる

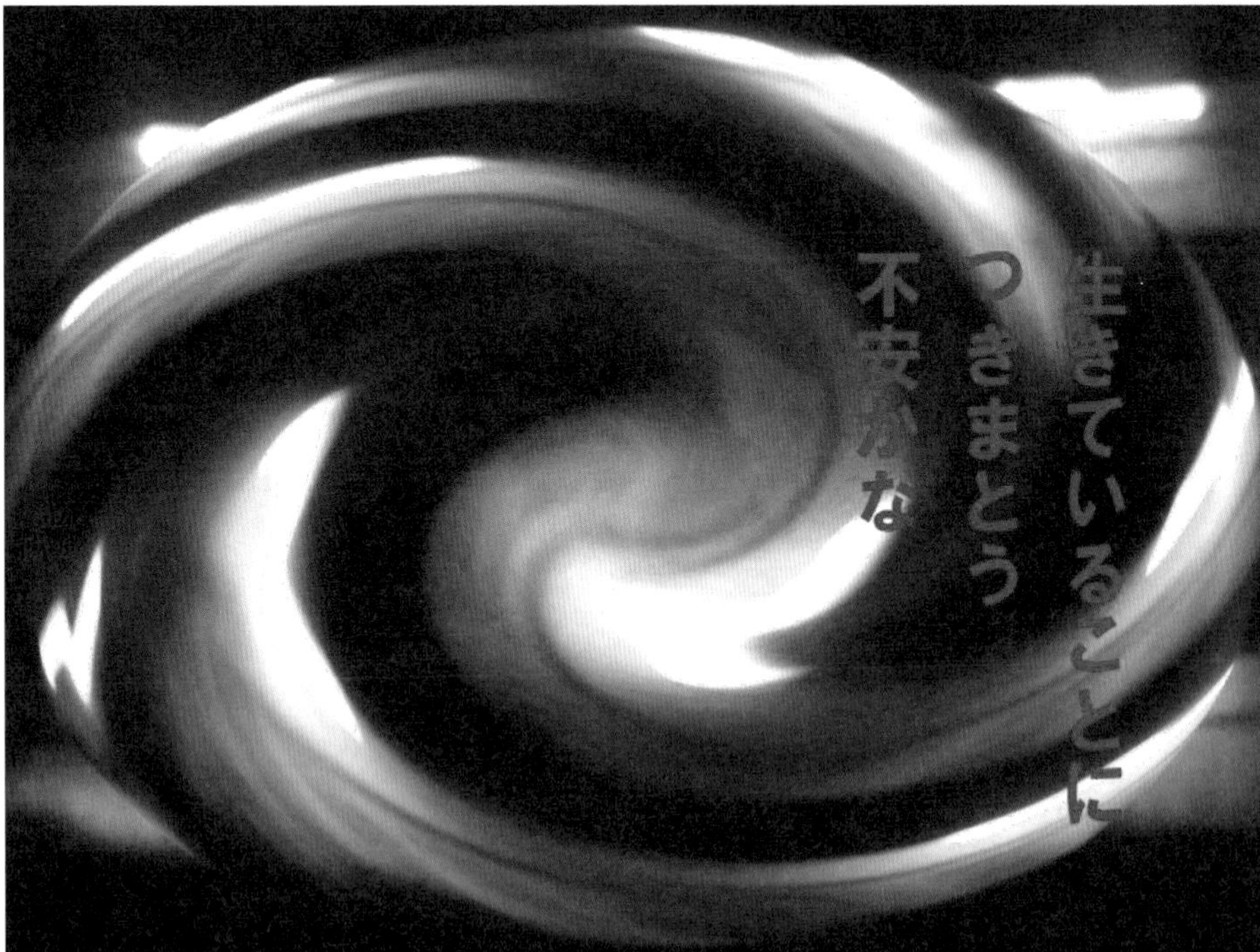
生きていることに
つきまとう
不安かな

荒れた浜
若き釣り人
今日の朝

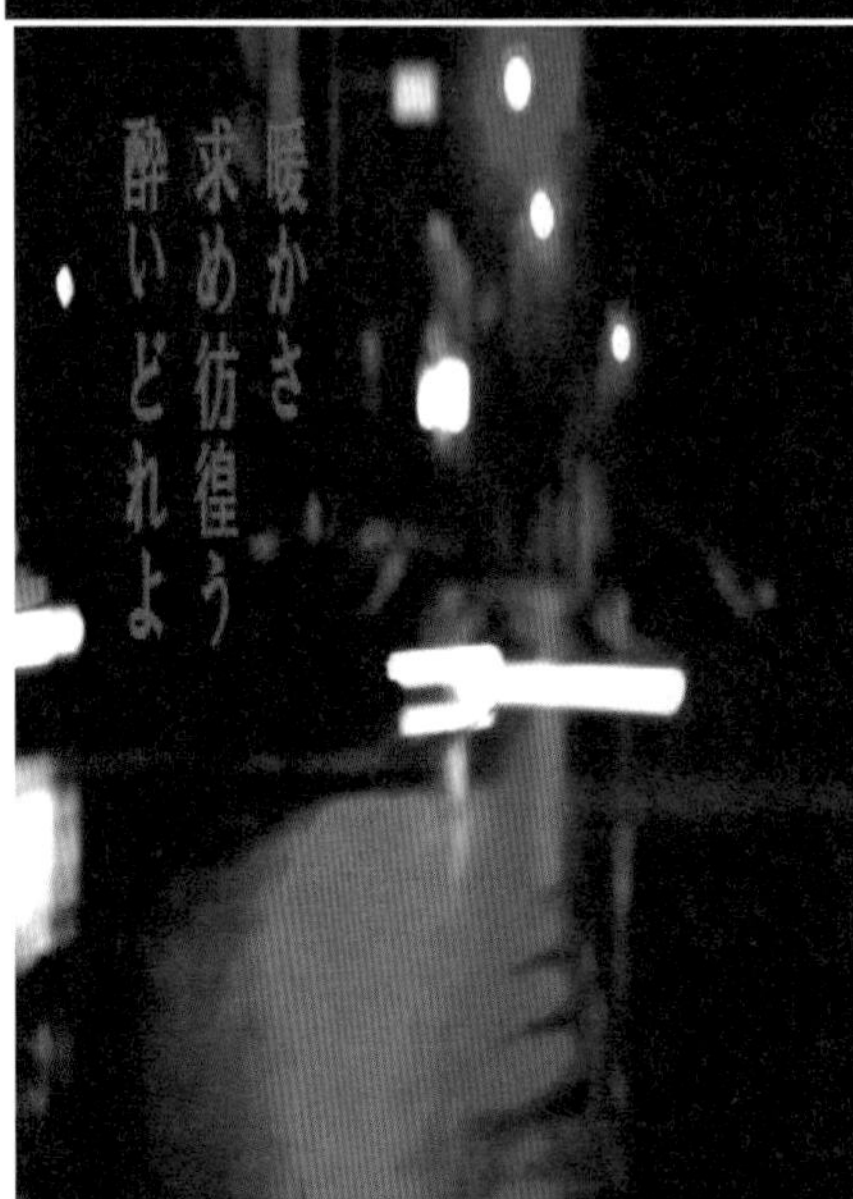
暖かさ
求め彷徨う
酔いどれよ

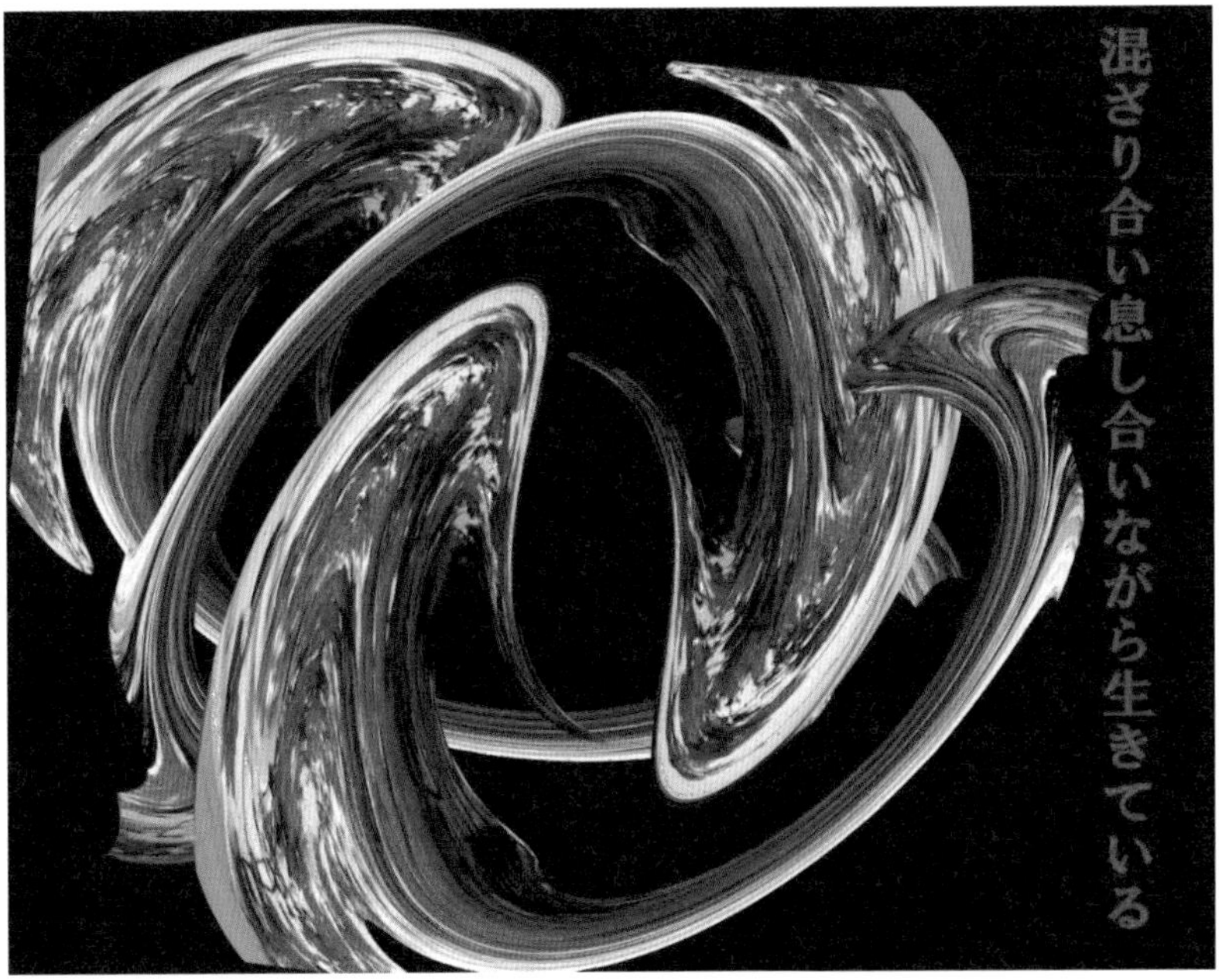
混ざり合い息し合いながら生きている

血塗られし
渡久地の浜の
いくさ跡

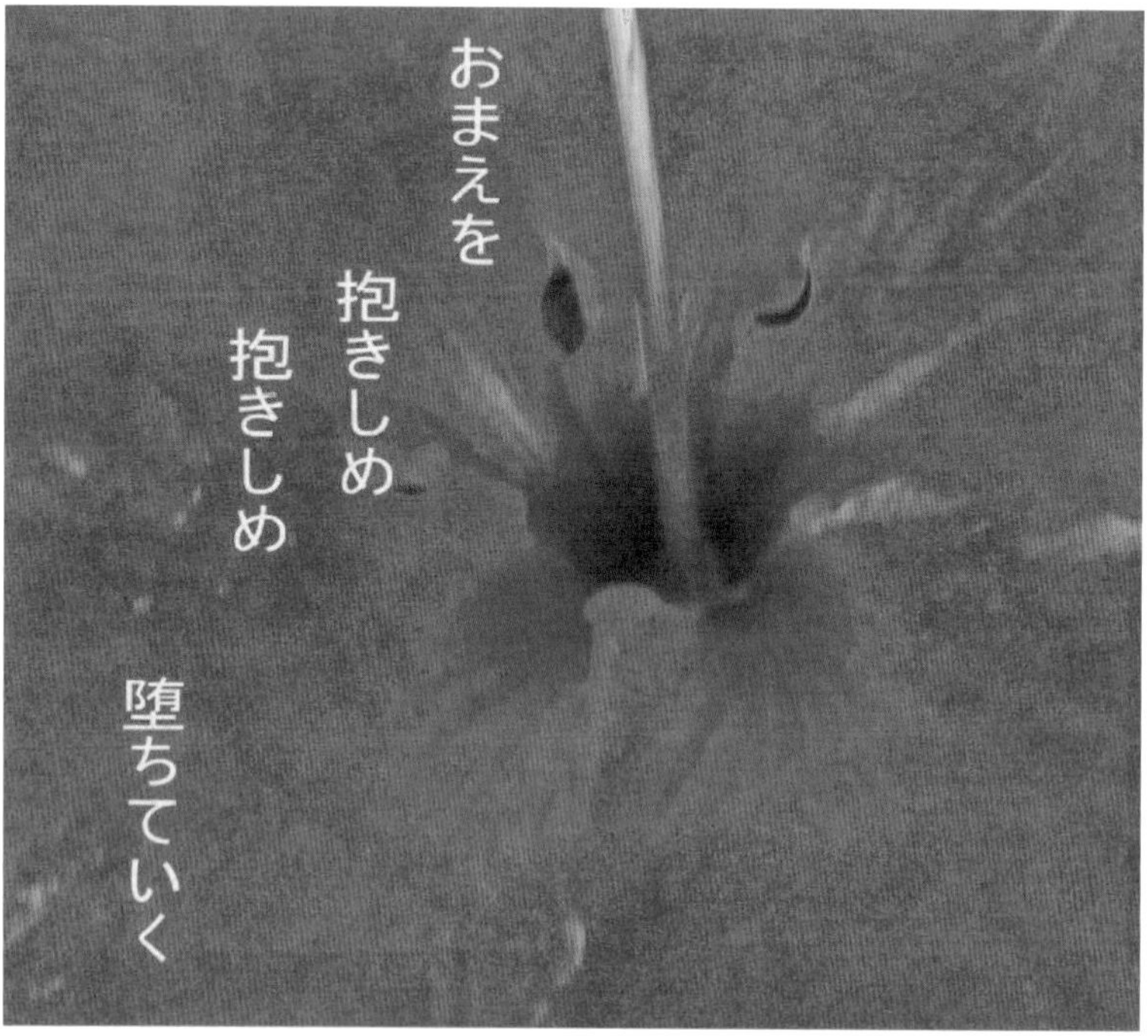
おまえを
抱きしめ
抱きしめ
堕ちていく

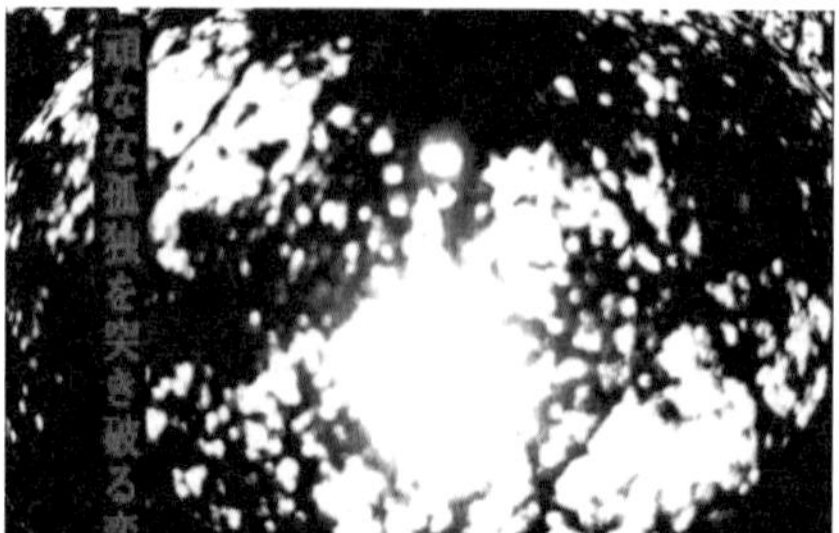
頑なな孤独を突き破る恋よ

雄々しく萌え広がるやせんだん木

ああ 今日も
独りの胸にしぐれ降る

枯れ葉散る
古の道
人はなく

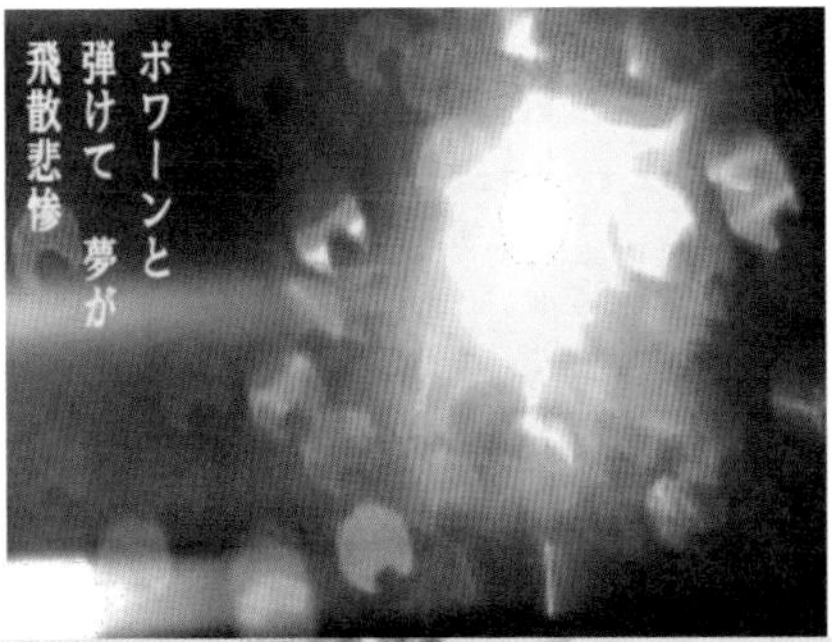
ボワーンと
弾けて　夢が
飛散悲惨

ああ怒り
泡にまぎれて
流される

くすみ板
サッシュにボンベ
灰瓦

枯れし木に
ぶどう目覚めて
絡まるや

六月の
薄き香り
サンニンは

あなたへの
想いも春の
渦の中

葉を落とし
夏を迎える
あまのじゃ木

帰る里
どこにありや
遥か空

ざわざわと
俺を突き刺す赤葉たち

熱きもの
掴み掴めぬもどかしさ

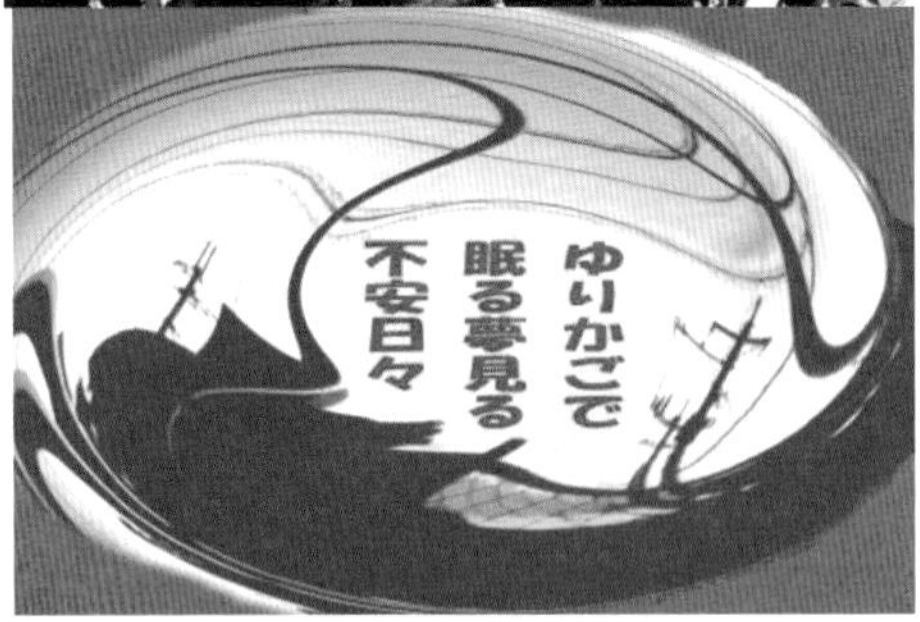
ゆりかごで
眠る夢見る
不安日々

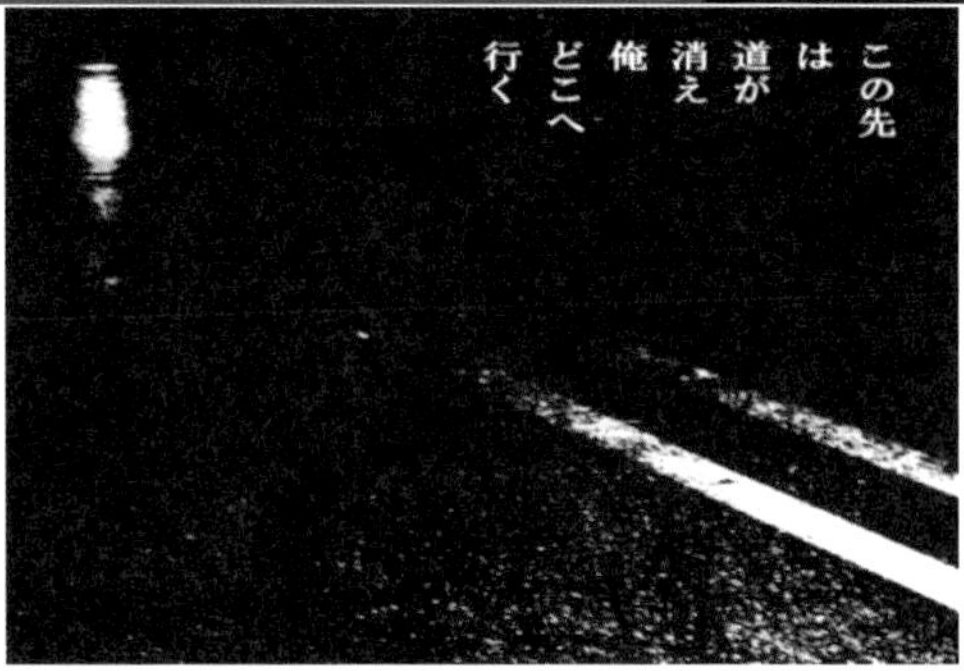
この先
は
道が
消え
俺
どこへ
行く

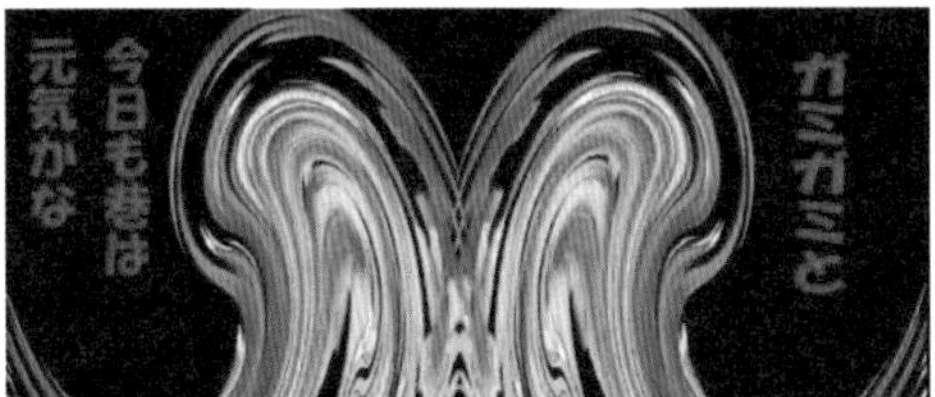
ガミガミと
今日も妻は
元気かな

我が道を
探して今日も
うろうろと

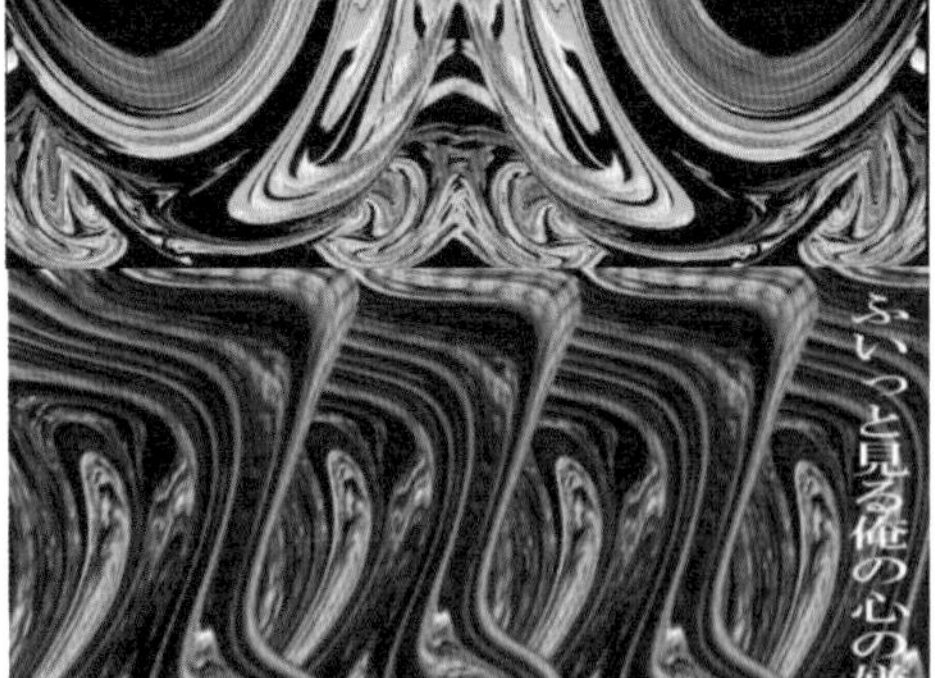
ふいっと見る俺の心の嫌らしさ

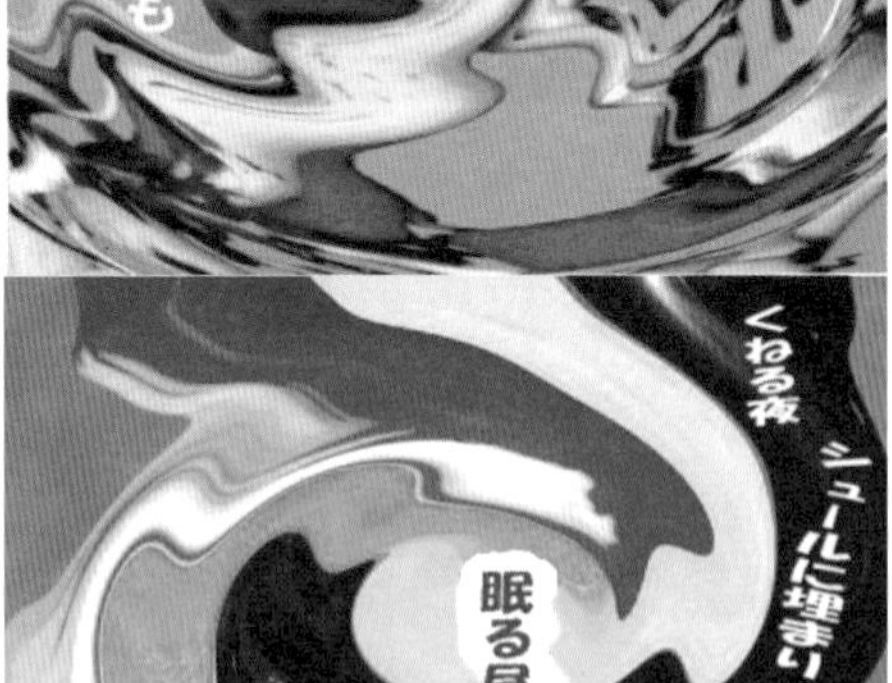
くねる夜
シュールに埋まり
眠る昼

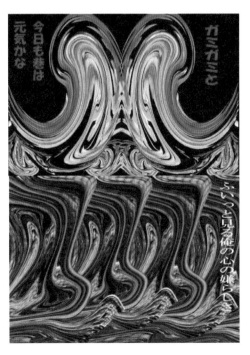

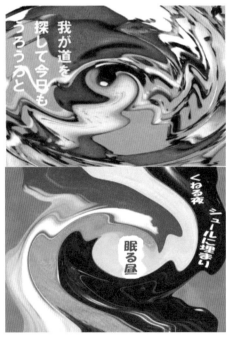

２０２３年5月発行
沖縄 日本 アジア 世界 内なる民主主義３２
定価５００円(消費税抜き)
編集・発行者　又吉康隆
発行所　ヒジャイ出版
〒 904-0313
沖縄県中頭郡読谷村字大湾 772-3
電話 098-956-1320
印刷所　印刷通販プリントパック
ISBN978 - 4 - 905100 - 46 - 1
C0036

著作　又吉康隆
１９４８年４月２日生まれ。沖縄県読谷村出身。

小説

マリーの館 １３８０円(税抜き)
一九七一 Ｍの死 １１００円(税抜き)
ジュゴンを食べた話 １５００円(税抜き)
バーデスの五日間
　上巻１３００円(税抜)下巻１２００円(税抜
おっかあを殺したのは俺じゃねえ１３５０円(税抜
台風十八号とミサイル　１４５０円(税抜き)

評論

沖縄に内なる民主主義はあるか　１５００円(税抜
少女慰安婦像は韓国の恥である　１３００円(税抜
捻じ曲げられた辺野古の真実　１５３０円(税抜き)
沖縄革新に未来はあるか　１３００円(税抜き)
あなたたち沖縄をもてあそぶなよ１３５０円(税抜

アートハイク　おきなわ　１295円(税抜き)

かみつく１　１２００円(税抜き)
かみつく２　１５００円(税抜き)
噛みつく３　１５００円(税抜き)
沖縄内なる民主主義４　６００円(税抜き)
沖縄内なる民主主義５　６００円(税抜き)
沖縄内なる民主主義６　６００円(税抜き)
沖縄内なる民主主義７　１５００円(税抜き)
沖縄内なる民主主義８　１５００円(税抜き)
沖縄内なる民主主義９　１４００円(税抜き)
沖縄内なる民主主義１０　１４００円(税抜き)
沖縄内なる民主主義１１　５００円(税抜き)
沖縄内なる民主主義１２　１３８０円(税抜き)
沖縄内なる民主主義１３　１３８０円(税抜き)
沖縄内なる民主主義１４　１３８００円(税抜き)
沖縄内なる民主主義１５　１３８００円(税抜き)
沖縄内なる民主主義１６　１３４０円(税抜き)
沖縄内なる民主主義１７　１０８０円(税抜き)
沖縄内なる民主主義１８　１２９５円(税抜き)
沖縄内なる民主主義１９　１３９８円(税抜き)
沖縄内なる民主主義２０　１３９８円(税抜き)
沖縄内なる民主主義２１　１２９５円(税抜き)
沖縄内なる民主主義２２　１２９５円(税抜き)
沖縄内なる民主主義２３　１２９５円(税抜き)
沖縄内なる民主主義２４　１２９５円(税抜き)
沖縄内なる民主主義２５　１２９５円(税抜き)
沖縄内なる民主主義２６　１２９５円(税抜き)
沖縄内なる民主主義２７　１２９５円(税抜き)
沖縄内なる民主主義２８　１２９５円(税抜き)
沖縄内なる民主主義２９　１２９５円(税抜き)
沖縄内なる民主主義３０　１２９５円(税抜き)
沖縄内なる民主主義３１　１２９５円(税抜き)

県内取次店
沖縄教販
ＴＥＬ　０９８-８６８-４１７０
ＦＡＸ　０９８-８６１-５４９９
本土取次店
(株)地方小出版流通センター
ＴＥＬ　０３-３２６０-０３５５
ＦＡＸ　０３-３２３５-６１８２